TERAPIA METABOLICZNA
WITAMINĄ B17

TERAPIA METABOLICZNA WITAMINĄ **B17**

STOSOWANA W PROFILAKTYCE I LECZENIU CHORÓB NOWOTWOROWYCH

Materiał uzupełniający do książki
G. Edwarda Griffina
ŚWIAT BEZ RAKA
OPOWIEŚĆ O WITAMINIE B17

Oficyna Wydawnicza 3.49

Opracowano na podstawie:

The Ultimate Guide to Vitamine B-17 Methabolic Therapy
Worldwithoutcancer.org.uk

oraz książki pt.
ŚWIAT BEZ RAKA – Opowieść o witaminie B17
G. Edward Griffin, Oficyna Wydawnicza **3.49** & VitaFree

Praca zbiorowa

Przekłady: Jędrzej Ilukowicz

Projekt okładki i grafiki w tekście: Przemysław Ilukowicz

Redakcja: Ewa Łubowska

WYDANIE I
Oficyna Wydawnicza **3.49**
Poznań 2008

ISBN 978-83-85290-18-6

www.swiatbezraka.info
www.349.com.pl

Dziękujemy za pomoc:
Małgorzacie Ilukowicz, Krzysztofowi Mullauerowi, dr. Henrykowi Sobolewskiemu

oraz konsultacje i krytykę:
prof. prof. Maciejowi Kurpiszowi, Henrykowi Koroniakowi, Maciejowi Stobieckiemu oraz
doc. dr. Piotrowi Wójcikowi

Spis treści

Przedmowa

Według szacunków Amerykańskiego Towarzystwa Onkologicznego (American Cancer Society – ACS) co roku na raka zapada 550 tys. Amerykanów, zaś co trzeci mieszkaniec tego kraju w trakcie swojego życia prawdopodobnie zachoruje na raka. W Polsce, zgodnie z Rocznikiem Statystycznym odnotowuje się rocznie ok. 106 tys. przypadków zachorowań na raka z tendencją rosnącą.

To, z czym Czytelnik się tutaj zapozna nie jest powszechnie akceptowane przez współczesną medycynę. I tak na przykład, amerykańska Agencja ds. Żywności i Leków (FDA), Amerykańskie Towarzystwo Onkologiczne (ACS) oraz Amerykańskie Stowarzyszenie Medyczne (AMA) nazywają wręcz te informacje "oszustwem" bądź "szarlatanerią". Dlatego też FDA i inne agencje rządowe korzystają ze wszelkich dostępnych środków, by zapobiec rozpowszechnianiu zawartej tu wiedzy. Posuwały się one do aresztowania osób za prowadzenie publicznych wykładów na ten temat, konfiskowały filmy i książki, a nawet odważały się stawiać przed sądem lekarzy wykorzystujących te informacje do ratowania życia pacjentom.

Niniejsza publikacja wykazuje, że wielka tragedia ludzkości, którą jest rak, może zostać powstrzymana już dziś, teraz i to w oparciu o aktualny stan wiedzy potwierdzony naukowo. W niniejszej publikacji znajdują się dowody, według których rozwój raka jest spowodowany niedoborem pokarmowym, podobnie jak szkorbut czy pelagra (rumień). O ile – jak twierdzi medycyna – raka mogą wywołać wirusy, bakterie bądź znane (lub też i nie) toksyny, to jego niepohamowany rozwój spowodowany jest brakiem pewnego składnika pokarmowego, który człowiek współczesny usunął ze swego pożywienia. Tym składnikiem jest witamina B17, znana również jako amigdalina albo letril.

Jeżeli powyższe twierdzenia są prawdziwe, to profilaktyka i leczenie raka mogą stać się szalenie proste, bowiem wystarczy przywrócić do naszej diety składnik pokarmowy, który łatwo otrzymać i który – co ważne – nie jest drogi. Coraz więcej lekarzy na całym świecie bada i dowodzi w swoich klinikach, że teoria o witaminowym podłożu rozwoju raka jest prawdziwa.

Czytając uważnie książkę G.E. Griffina *Świat bez raka – historia witaminy B17*, Czytelnik będzie miał okazję się przekonać, iż istnieje mnóstwo dowodów potwierdzających teorię o żywieniowym podłożu rozwoju raka – dowodów na tyle licznych, by przekonać większość ludzi, że teoria ta jest prawdziwa. Mimo tych dowodów nie jest ona uznawana przez medycynę ortodoksyjną – niemniej wskazują one, iż prawdopodobnie znamy odpowiedź na zagadkę związaną z rakiem i skuteczny sposób zapobiegania mu i leczenia.

Wstęp

W roku 1952, po latach poszukiwań, doktor biochemii Ernest T. Krebs jr wyizolował nową witaminę z grupy B, i nadał jej numer 17 i nazwał "letrilem". Z upływem lat coraz więcej osób zyskiwało pewność, że dr. Krebsowi udało się nareszcie odkryć środek zwalczający prawie każdy rodzaj raka. Pewność, którą dziś dzieli coraz więcej i więcej ludzi. W tamtych czasach dr Krebs raczej nie zdawał sobie sprawy z faktu, iż jego odkrycie było niczym wsadzenie kija w gniazdo szerszeni. Ponieważ ponadnarodowe koncerny farmaceutyczne nie mogły opatentować witaminy B17, ani zastrzec sobie wyłącznych do niej praw, rozpoczęły zwalczać ją wyjątkowo agresywną propagandą – i to mimo ogromnej ilości przytłaczających wręcz dowodów jej skuteczności w leczeniu większości rodzajów raka. Dlaczego medycyna ortodoksyjna rozpętała wojnę przeciwko witaminie B17? Edward Griffin, autor książki *Świat bez raka – opowieść o witaminie B17* utrzymuje, że odpowiedzi na to pytanie nie należy szukać w badaniach naukowych lecz w polityce, gdzie leżą ukryte interesy władzy i firm panujących nad współczesnym establishmentem medycznym.

Każdego roku tysiące Amerykanie wyjeżdża do Meksyku, by leczyć się witaminą B17, mówiąc inaczej – letrilem. Dlaczego wyjeżdżają? Ano dlatego, że w Stanach Zjednoczonych terapia letrilem jest zakazana. Wielu z tych pacjentów usłyszało, że ich rak jest w stadium końcowym i pozostało im kilka miesięcy życia. A dzięki terapii letrilem niewiarygodny wręcz procent chorych na raka odzyskał zdrowie i cieszy się nim do dziś. Mimo to Agencja ds. Żywności i Leków (FDA), Amerykańskie Towarzystwo Onkologiczne (ACS), Amerykańskie Stowarzyszenie Medyczne (AMA) oraz liczne ośrodki badań nad rakiem utrzymują, że leczenie letrilem to oszustwo i szarlataneria. Jeśli ktoś wyzdrowieje po kuracji letrilem, twierdzą wtedy, że doszło do "spontanicznej remisji raka", bądź... że pacjent na raka nigdy nie chorował, a jedynie postawiono mu jedynie błędną diagnozę. Jeśli zaś pacjent umrze, starając się wyleczyć letrilem, stwierdzają wtedy: "Widzicie?! Letril nie działa!".

Tymczasem tysiące chorych na raka na całym świecie leczonych chirurgicznie, bądź radio i chemioterapią umiera każdego roku, zaś medycyna ortodoksyjna twierdzi, że terapie te są "bezpieczne i skuteczne".

Agencja ds. Żywności i Leków (FDA) od kilkudziesięciu już lat usiłuje wyeliminować witaminę B17, głównie za pomocą surowych zakazów oraz nieformalnych nacisków. Tymczasem letril jest używany w kilku klinikach meksykańskich, które leczą raka przy pomocy specjalnej diety. Kliniki te szczycą się prawie 100% skutecznością wyleczeń w przypadkach raka uprzednio nieleczonego (a jedynie zdiagnozowanego) – to znaczy takich, które jeszcze nie były traktowane naświetlaniami, chemioterapią i/lub podlegały interwencji chirurgicznej. Znakomita większość cho-

7

rych leczonych letrilem dobrze reaguje na kurację: poprawia się ich samopoczucie, humor, rośnie apetyt i masa ciała, częstokroć wracają im zwykłe kolory, zaś ból i odór wywołany przez raka maleją lub znikają zupełnie. W tysiącach przypadków odnotowano całkowite wyleczenie.

Witamina B17, znana również jako "amigdalina" lub "letril", znajduje się w wielu roślinach. Najwięcej jest jej w nasionach roślin zaliczanych do rodziny *rosacea* (różowate), takich jak morele, brzoskwinie, śliwki i innych, o gorzkich nasionach (gorzkie migdały). Sporo roślin, owoców i warzyw zawiera niewielkie ilości witaminy B17 i w ten sposób stanowi ona część naszej codziennej diety.

Chcielibyśmy przedstawić Czytelnikowi tę substancję roślinną, której właściwości przeciwrakowe znane są od dawna (pierwsze udokumentowane przypadki skutecznego zastosowania amigdaliny w leczenia nowotworów u kobiet odnotowano we Francji w połowie dziewiętnastego wieku), a w ciągu ostatnich dziesiątków lat zostały naukowo potwierdzone badaniami klinicznymi. (m.in. patrz: prace prowadzone przez dr. Ernesto Contrerasa Rodrigueza w Oasis of Hope Hospital w Meksyku. Od 1963 roku doktor Contreras przeprowadził terapię letrilem u ponad 100 tysięcy pacjentów.)

Zawarte poniżej informacje pozwolą czytelnikowi zapoznać się z zaletami terapii metabolicznej stosowanej we wspomaganiu leczenia nowotworów i w prewencji. Wszystkie wymienione tu dodatki żywnościowe są łatwe do uzyskania przez osoby, które nie mogą udać się do Meksyku z przyczyn finansowych lub zdrowotnych oraz wszystkich tych, którzy stosowali i muszą nadal kontynuować kurację metaboliczną. Czytelnik dowie się jak korzystać z z kuracji ponosząc stosunkowo niewielkie koszty. Informację, gdzie można zaopatrzyć się w produkty niezbędne do prowadzenia kuracji metabolicznej raka czytelnik znajdzie na końcu niniejszej książki oraz/bądź przeszukując Internet.

Publikacja ta jest oparta na informacjach zawartych na stronie internetowej http://www.worldwithoutcancer.org.uk oraz w książce *Świat bez raka* G.Edwarda Griffina. Odwiedzając wspomnianą stronę, czytelnik może znaleźć na niej wiadomości na temat badań związanych z witaminą B-17, streszczenia monografii, badania kliniczne, chemiczny opis działania witaminy B-17 i jej składników na komórkę raka, świadectwa, historie chorób, biografie, zdjęcia, wykresy, odnośniki i wiele innych pożytecznych informacji – uwaga: strona dostępna jedynie w języku angielskim. Niniejsza publikacja została napisana w celu objaśnienia poszczególnych elementów terapii metabolicznej i ma ewentualnie służyć pomocą w trakcie trwania terapii.

Aktualizowane na bieżąco informacje na temat opisywanej tu terapii winny być dostępne na stronie http://www.swiatbezraka.info w języku polskim w drugiej połowie 2008 roku. ✗

Uwaga – ostrzeżenie

Nie promujemy letrilu ani innych produktów tu wymienianych jako składników terapii metabolicznej raka – wspominamy o nich pod kątem prewencji i terapii żywnościowych. Wszystkie informacje, jak i informacje o przypadkach wyleczeń, były publikowane w prasie bądź pochodzą z korespondencji lekarzy i pacjentów, którzy stosowali terapię metaboliczną i którzy chcieli podzielić się swymi doświadczeniami z innymi. To ważne, by każdy czytelnik zachował stosowną ostrożność w ocenie. Nie mamy zamiaru sugerować, iż czytelnik będzie miał doświadczenia podobne do doświadczeń autorów tych oświadczeń. Dzielimy się tymi informacjami, ponieważ uważamy, iż każdy ma prawo do wyrobienia sobie własnego zdania na ich temat, zwłaszcza że informacja o witaminie B17 jest w społeczeństwie nikła.

Wszelkie informacje zawarte tu i w książce *Świat bez raka*, są autentyczne, a ludzie którzy je spisali rzeczywiście istnieją. Prezentowane przez nas opisy wyleczeń oraz dane są prawdziwe w takim samym zakresie, jak opisy wyleczeń i badania prezentowane przez medycynę ortodoksyjną. Wolny człowiek ma prawo zapoznać się z każdą dostępną informacją, by móc dokonywać swobodnych wyborów w kwestiach związanych z własnym zdrowiem. Dlatego przedstawiając je, działamy zgodnie z naszym prawem do wolności wypowiedzi i prawem czytelnika do swobodnego dostępu do informacji.

Zawartość tej publikacji ma przeznaczenie wyłącznie informacyjne. Produkty tu opisywane są pożywieniem lub suplementem diety, a ich zjadanie wspomaga mechanizmy odpornościowe w walce z chorobą i/bądź umacnia zdrowie. Przedstawiając te informacje, nie mamy zamiaru dokonywać ocen, diagnoz, leczyć lub zapobiegać jakiejkolwiek chorobie czy dolegliwości. Czytelnik nie może traktować żadnej zawartej tu informacji jako porady w jakimkolwiek konkretnym przypadku choroby. Przed zastosowaniem każdej kuracji bądź lekarstwa należy skontaktować się z lekarzem. Trzeba jednak podkreślić , że część z zamieszczonych tu informacji nie jest akceptowana przez oficjalny nurt medycyny, dlatego zasięgać porad u lekarzy, którzy orientują się w stosowaniu terapii metabolicznych.

Witamina B17

Na początek cytat wskazujący na fakt, iż potrzebę profilaktyki uwzględniano również w zaleceniach religijnych:

Powiedział Bóg także: Dla was są też wszelkie rośliny rodzące ziarno, gdziekolwiek są na całej ziemi, oraz wszelkie drzewa w których owocach są nasiona. Niech wam służą za pożywienie.   *Ks. Rodzaju 1,29; Biblia Rodzinna, 2005*

Mimo wielkich postępów w diagnozie i leczeniu nowotworów złośliwych, rak pozostaje jedną z głównych przyczyn śmierci w krajach wysoko uprzemysłowionych. Szacuje się, że co trzeci obywatel tych państw umrze na jakąś odmianę raka.

Choć chirurgia i radioterapia pozwalają wyleczyć niektórych pacjentów ze zlokalizowanymi guzami, a chemioterapia dopracowała się metod zwalczania około dziesięciu złośliwych odmian nowotworów, to ogólna śmiertelność chorych na raka nie spadła w ciągu ostatnich 25 lat. Wielu chorych z postawionej diagnozy dowiaduje się, że ich nowotwór jest tak bardzo rozwinięty, iż nie można go leczyć środkami stosowanymi w chemioterapii – są one bowiem tak toksyczne, że nie da się nimi zwalczyć raka bez narażenia pacjenta na bardzo poważne niebezpieczeństwo. Wielu pacjentów nie może poddać się chemioterapii, radioterapii lub interwencji chirurgicznej z uwagi na niepożądane skutki uboczne tych metod leczenia. I wreszcie, jest wiele odmian raka dla których nie opracowano jeszcze skutecznego leczenia.

Przedstawiamy tu środek pochodzenia roślinnego, którego działanie przeciwnowotworowe znane jest od wieków, a w ciągu ostatnich czterdziestu lat zostało udowodnione przez naukę, głównie badaniami klinicznymi prowadzonymi przez poważanych lekarzy z całego świata. Spośród nich można wymienić takie osobistości jak dr Ernesto Contreras Rodriguez z Oasis of Hope Hospital w Playas de Tihuana w Meksyku, dr Harold Manner z Manner Clinic w Meksyku, dr Hans Nieper – emerytowany dyrektor Wydziału Medycyny w Silbersee Hospital w Hanowerze, dr N.R. Bouziane – dyrektor Laboratorium Badawczego w Szpitalu pod wezwaniem Św. Joanny d'Arc w Montrealu, dr Manuel Navarro – profesor na Wydziale Medycyny i Chirurgii Uniwersytetu Św. Tomasza w Manili, dr Shigeki Sakai – wybitny lekarz z Tokio w Japonii. We Włoszech – prof. Etore Guidetti z Wydziału Medycyny na Uniwersytecie Turyńskim, w Belgii prof. Joseph H. Maisin z Uniwersytetu w Louvain, gdzie był dyrektorem Instytutu Onkologii. W Stanach Zjednoczonych mamy tak szacowne nazwiska jak dr Dean Burk, były szef Narodowego Instytutu Onkologicznego, dr John A. Morrone z Jersey City Medical Center, dr Ernst T. Krebs jr, który wyizolował letril, dr John A. Richardson, który bohatersko przeciwstawiał się prawu zabraniającemu stosowania letrilu w USA, dr Philip E. Binzel jr, lekarz z Washington Court House w Ohio, który stosował letril ze znakomitymi wynikami przez ponad dwadzieścia lat, oraz wielu innych lekarzy o nieposzlakowanej opinii z ponad dwudziestu krajów, których wiarygodności nie sposób podważyć.

Omawianym środkiem przeciwnowotworowym jest witamina B17 (znana również pod nazwami "amigdalina" lub "letril"). Według Ernsta T. Krebsa jr. jej składniki czynią ją podstawowym czynnikiem dla "życia bez raka". Znaczne jej ilości występują w pestkach owoców roślin z rodziny różowatych – *rosacae* (np. moreli) i innych gorzkich nasionach. W ocalałych zapiskach pozostałych po dawnych cywilizacjach, takich jak Egipt czasu faraonów lub Chiny z okresu ok. 2500 lat p.n.e., wspomina się o leczeniu przy pomocy substancji pochodzących z gorzkich migdałów. Egipskie papirusy sprzed 5000 lat wspominają o stosowaniu "aqua amigdalorum" do leczenia niektórych objawów raka skóry. Jednak dopiero w pierwszej połowie XIX wieku rozpoczęto systematyczne badania tego związku. W 1802 roku chemik nazwiskiem Bohn odkrył, że w trakcie destylacji wodnego ekstraktu z gorzkich migdałów uwalnia się kwas pruski (cyjanowodór). Wkrótce wielu badaczy zainteresowało się tym ekstraktem – po raz pierwszy dwaj z nich, Robiquet i Boutron, wyizolowali białą krystaliczną substancję, którą nazwali AMIGDALINĄ (od "amygdala" – migdał).

Ciekawostka: w USA Agencja ds. Żywności i Leków (FDA) na podstawie określonych działań administracyjnych (a nie przepisów prawa!) usiłowała w niektórych stanach odwodzić lekarzy od stosowania terapii z użyciem letrilu. Podkreślamy – nie ma żadnych przepisów federalnych zabraniających używania letrilu, nie znajduje się też on w spisach substancji zakazanych. FDA dąży do zakazania sprzedaży i obrotu międzystanowego letrilem, twierdząc, iż jest on "nielicencjonowanym nowym środkiem leczniczym" lub "fałszywym i niebezpiecznym suplementem żywności". Tymczasem nie jest ani jednym, ani drugim: amigdalina jest po prostu związkiem wyekstrahowanym z pestek moreli, czyli niczym innym jak naturalnym składnikiem żywności. Kilkadziesiąt lat temu witamina B17 stała się przyczyną wielkich kontrowersji, kiedy to kilku naukowców światowej sławy oświadczyło, że spożywanie jej zabezpiecza w 100% przed rozwojem na raka oraz niszczy istniejące w organizmie komórki nowotworowe.

Koncerny farmaceutyczne natychmiast zaatakowały to oświadczenie i zażądały przeprowadzenia stosownych badań. Należy przy tym przypomnieć, że producenci leków opracowują związki chemiczne, badają je, by wreszcie, po uzyskaniu akceptacji, produkować i sprzedawać je na prawach wyłączności. Nigdy za to nie badają żywności (ani jej pochodnych), która może być sprzedawana w każdym supermarkecie, a która nie może zostać opatentowana, podobnie jak np. witaminy. Badań B17 nie przeprowadza się głównie z przyczyn ekonomicznych – ich koszt może sięgać nawet 200 mln dolarów, a zyski dla badającego, bez możliwości patentowania, są bardziej niż wątpliwe.

Więcej znajdzie Czytelnik we wspomnianej już powyżej książce *Świat bez raka – opowieść o witaminie B17* napisanej przez G.E. Griffina.

11

Witamina B17 jako środek zapobiegawczy

Witamina B17 występuje obficie w żywności ludów takich jak Eskimosi, Hunzowie, Abchazi oraz innych. Warto przy tym wiedzieć, że owe społeczności były w zasadzie w 100% wolne od raka. Oczywiście sytuacja zmieniła się diametralnie w chwili, kiedy zmieniały swój profil odżywiania na "zachodni". Dr Krebs twierdzi, że spożywanie min. 100 mg witaminy B17 (czyli około 7 pestek moreli) prawie całkowicie chroni przed zachorowaniem na raka. Oto żywność zawierająca witaminę B17:

NASIONA, PESTKI – morele, brzoskwinie, nektarynki, jabłka, wiśnie, śliwki, gruszki

ORZECHY– gorzkie migdały, orzechy nerkowca, orzeszki makadamii

JAGODY – prawie wszystkie dziko rosnące jagody jak jeżyny, aronia, żurawina, czarny bez, również malina, truskawka

ZIARNA ZBÓŻ – jęczmień, owies, pszenica, gryka, proso, żyto, brązowy ryż

INNE NASIONA – lnu, sezamu, bobu, wyki, soczewicy, burmy (*Neyraudia reynaudiana*), fasoli, fasoli mung, limy

RÓŻNE – kiełki bambusa, ziele fuksji, dzika hortensja, cis (igły), szałwia (zwłaszcza *salvia hispanica* i *salvia columbariae*)

Aby przyswoić możliwie największą dawkę witaminy B17 należy kierować się poniższymi zasadami:

(1) Należy jeść w całości owoce zawierające B17 (łącznie z pestkami), lecz nie jeść większej ilości pestek niż znajdującej się w zjadanych owocach. Np.: jeśli jesz trzy jabłka dziennie, ilość pestek z tych jabłek wystarczy – nie ma potrzeby, by zjadać dodatkowo jeszcze np. pół kilograma pestek.

(2) W zasadzie jedna pestka moreli lub brzoskwini na każde ok. 5 kilogramów wagi ciała zawiera wystarczającą ilość B17, by zapobiegać pojawieniu się raka; oczywiście wszystko zależy od indywidualnej przemiany materii i nawyków żywieniowych. Przykładowo osobnik o wadze 80 kg, spożywając 16-17 pestek moreli zapewnia sobie dostateczną ilość witaminy B17.

(3) Oczywiście zawsze można zjeść zbyt dużo. Czegokolwiek. Spożycie zbyt wielu pestek lub nasion może skutkować nieprzyjemnymi efektami ubocznymi. Produkty naturalne, takie jak wyżej wymienione, winno spożywać się w biologicznie racjonalnych ilościach (w przypadku pestek moreli – nie więcej niż 30–35 pestek dziennie).

(4) Witamina B17 występuje w wysokim stężeniu w surowych owocach – pestkach – nasionach, lub w roślinach będących w stanie kiełkowania, a nie podanych intensywnej obróbce termicznej. Umiarkowane gotowanie / podgrzewanie nie niszczy B17. Np. żywność przygotowywana w sposób taki jak w kuchni chińskiej nie traci tej witaminy.

Terapia metaboliczna w leczeniu raka

lek. med. Harold W. Manner

Fundacja Badań nad Metabolizmem (Metabolic Resaerch Foundation)
we współpracy ze Szpitalem im. Mannera i CytoPharma de Mexico SA

WSTĘP

W ciągu ostatnich lat nastąpiła znacząca zmiana w pojmowaniu przyczyn oraz samej natury raka. Dawniej rak był traktowany jako miejscowy stan chorobowy charakteryzujący się zmianami patologicznymi, zazwyczaj przyjmujący postać guza (narośli) i pojawiający się w jakimś miejscu w ciele. Uważano, że ta miejscowa zmiana patologiczna powodowana była przez czynniki rakotwórcze, jak wirusy, toksyny bądź urazy fizyczne, np. uderzenie.

Dziś wśród naukowców i lekarzy rośnie przekonanie, że rak to zespół chorobowy, który jest krańcowym stanem zaburzenia metabolizmu (przemiany chemicznej w ciele). Jest to podstępna choroba obejmująca cały organizm: system nerwowy, trzustkę, przewód pokarmowy, płuca, układ wydalniczy, gruczoły dokrewne i układ odpornościowy. Pomimo leczenia konwencjonalnego – chirurgicznego oraz chemio i radioterapii – dochodzi do nawrotów nowotworu. Dlaczego? Bo rzadko bierze się pod uwagę prawdziwą przyczynę raka, czyli zaburzenia metaboliczne – w związku z tym rzadko kiedy zostaje ona usunięta.

ETIOLOGIA (PRZYCZYNY POWSTAWANIA) RAKA

W organizmie ludzkim znajduje się tysiące komórek, które zatrzymują się w rozwoju na stadium zarodkowym. Komórki takie nazywa się różnie: macierzystymi, fibroblastami, neoblastami, itd. Do ich zadań należy regeneracja i naprawa. Gdy dojdzie do złamania kości, komórki takie przekształcają się w komórki kostne. Jeżeli dojdzie do utraty krwi, komórki te przekształcają się w ciałka krwi. Te same komórki poddane działaniu czynnika kancerogennego (rakotwórczego) zmieniają się w komórki rakowe. Codziennie, u każdego człowieka, takiej zmianie ulega wiele z tych komórek. Jednakże bardzo rzadko wykluwa się z tego choroba, którą nazywamy rakiem – zapobiega temu nasz wspaniały układ immunologiczny. Jego zadaniem jest niszczenie lub neutralizacja wszystkich ciał uznanych za obce w naszym organizmie. Gdy komórka macierzysta zamienia się w komórkę raka, z biochemicznego punktu widzenia staje się dla organizmu ciałem obcym. I tylko dlatego nie zapadamy wtedy na raka, że limfocyty, makrofagi i inne składniki naszego układu obronnego są zdolne do neutralizowania i niszczenia takich komórek, zapobiegając tym samym ich

13

namnażaniu i rozprzestrzenianiu się. Normalnie te komórki są eliminowane w ciele w przeciągu kilku godzin.

Jeżeli jednak nasz układ odpornościowy jest osłabiony (np. poprzez złe bądź niedostateczne odżywianie, nadmiar zanieczyszczeń w środowisku lub ciągły stres), to nie hamuje on rozwoju komórek rakowych, które dzielą się wówczas gwałtownie, doprowadzając w sumie do utworzenia charakterystycznej narośli, czyli guza. Co więcej, nasz układ obronny słabnie wraz z wiekiem. Ten właśnie fakt zwiększa prawdopodobieństwo wystąpienia choroby spowodowanej przez niewłaściwie działający metabolizm. Jednym z głównych celów terapii metabolicznej jest pobudzenie układu immunologicznego i doprowadzenie go do w pełni sprawnego działania. Dzięki temu układ obronny może eliminować komórki rakowe nim rozpoczną one swój inwazyjny wzrost.

Lekarze i naukowcy zajmujący się metabolizmem człowieka są przekonani, że możemy żyć w zdrowiu, jeśli będziemy dostarczać komórkom naszego ciała właściwe ilości tlenu, pożywienia, enzymów, minerałów, aminokwasów i innych składników odżywczych, które pochodzą z dwóch źródeł: żywności oraz uzupełniających dodatków żywnościowych, suplementów diety. Dla ciągłego zdrowia równie ważna jest zdolność organizmu do usuwania produktów przemiany materii dzięki właściwej pracy jelit, odpowiedniemu oddychaniu, wydalaniu, itp. Zatem ciału potrzeba również środków leczniczych, które pomogą mu usunąć szkodliwe toksyny.

Na tym właśnie polega terapia metaboliczna. Jej program opiera się na wielu elementach, z których każdy ma istotne znaczenie dla wyleczenia pacjenta.

Zastosowanie amigdaliny w metabolicznym leczeniu raka

dr med. Francisco Contreras

Oasis of Hope Hospital

SPOSÓB ODDZIAŁYWANIA AMIGDALINY

Metabolizm to innymi słowy praca całego organizmu. Nasze ciało działa właściwie, gdy wszystkie jego elementy (fizyczny, umysłowy i duchowy) harmonijnie ze sobą współpracują. Dlatego celem każdej terapii, w tym i metabolicznej, jest całościowe leczenie organizmu. Elementy terapii metabolicznej mają doprowadzić organizm do stanu, w którym będzie mógł on zwalczać choroby i odzyskać pełnię zdrowia.

Terapia metaboliczna jest nietoksyczną metodą leczenia raka polegającą na podawaniu organizmowi witaminy B17, proteolitycznych enzymów trzustki, immunostymulantów oraz witamin i suplementów mineralnych (patrz dalej Faza I i II). Letril (witamina B17) jest jej głównym czynnikiem przeciwnowotworowym. Jest on naturalną substancją chemioterapeutyczną występującą w ponad 1200 roślinach, zwłaszcza w nasionach powszechnie występujących owoców, takich jak morele, brzoskwinie, śliwki czy jabłka. Letril jest dwuglikozydem z rodnikiem cyjankowym, posiadającym wysoką biodostępność. Oznacza to, że przenika przez błonę komórkową i łatwo osiąga wysokie stężenia wewnątrzkomórkowe.

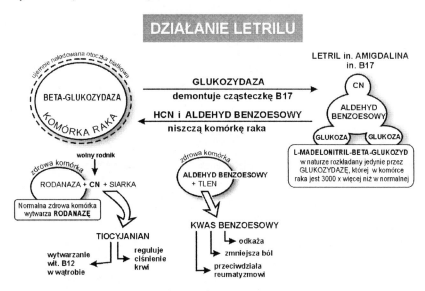

Cząsteczka B17 może być rozłożona jedynie za pomocą glukozydazy. W komórce raka znajduje się 3000 razy więcej glukozydazy niż w normalnej.

Właśnie ów rodnik cyjanku wywołał wiele kontrowersji wokół witaminy B17, jednakże w końcu udowodniono, że jest ona substancją bezpieczną i nietoksyczną. Normalne komórki naszego organizmu zawierają enzym zwany rodanazą (obecnie stosowana nazwa: *tiosiarczan transulfurazy*), który "neutralizuje" amigdalinę: po prostu nie pozwala on na uwolnienie rodnika cyjanowego. W ten sposób amigdalina staje się dla normalnych komórek źródłem glukozy, a co za tym idzie energii. Komórki złośliwe (nowotworowe) nie zawierają rodanazy. Przy braku obecności rodanazy amigdalina jest rozkładana przy pomocy innego enzymu – betaglukozydazy (której *nota bene* jest w komórce raka 3000 x więcej niż w normalnej) i uwalnia wewnątrz komórki nowotworowej rodnik cyjanowy w postaci HCN – cyjanowodoru (in. kwasu pruskiego) oraz aldehyd benzoesowy. Obie substancje są bardzo silnymi truciznami i współdziałając ze sobą niszczą komórkę. Natura urządziła to w taki właśnie sposób – zostają zniszczone tylko komórki raka, inne zaś nie zostają naruszone. Jeżeli zaś cząsteczka aldehydu benzoesowego wydostanie się z komórki raka i przeniknie do komórek zdrowych, zostanie w nich utleniona do nieszkodliwego kwasu benzoesowego. Kwas benzoesowy z kolei przeciwdziała reumatyzmowi, ma działanie odkażające i przeciwbólowe. Po części odpowiada za jeden z efektów działania witaminy B17 – znosi ból towarzyszący rakowi w fazach terminalnych i to bez pomocy narkotyków. I choć B17 nie jest środkiem przeciwbólowym *per se*, to wchodząc w kontakt z komórkami nowotworowymi, powoduje pojawienie się w ich okolicy kwasu benzoesowego, który – można rzec – "kąpie" to miejsce w naturalnym środku uśmierzającym ból.

Setki badań klinicznych prowadzonych przez wielu kompetentnych lekarzy na całym świecie, włączając w to prace prowadzone przez dr. Ernesto Contrerasa Rodrigueza z Oasis of Hope Hospital w Meksyku dają nam całkowitą pewność, że stosowanie amigdaliny jest bezpieczne.

LETRIL I CYJANEK – SUBSTANCJA RATUJĄCA ŻYCIE
dr med. Philip Binzel jr

Pewien naukowiec z amerykańskiej Agencji ds. Żywności i Leków stwierdził kiedyś, że letril zawiera "wolny" cyjanowodór i dlatego jest trujący. To wielkie nieporozumienie, które chciałbym tu wyjaśnić:

Cząsteczka letrilu nie zawiera "wolnego" cyjanowodoru. Gdy letril w obecności wody zetknie się w komórce złośliwej z enzymem zwanym betaglukozydazą, to przy braku enzymu blokującego (rodanazy) zostaje rozłożony na dwie cząsteczki glukozy, jedną cząsteczkę aldehydu benzoesowego oraz cząsteczkę cyjanowodoru (HCN). Betaglukozydazę zawierają w wielkiej ilości jedynie komórki rakowe. W całym tym procesie chodzi o to, że cyjanowodór zostaje **wyprodukowany**. Związek ten nie "szybuje" sobie swobodnie w cząsteczce letrilu i jest, ot tak sobie, uwalniany. On musi zostać **utworzony**! Tylko enzym o nazwie betaglukozydaza – i tylko on – jest zdolny do wytworzenia cyjanowodoru z cząsteczki letrilu. Jeśli w ciele nie występują komórki nowotworowe cyjanowodór nie powstaje z letrilu.

Prawdą jest natomiast, że letril zawiera tylko resztę kwasu cyjanowodorowego (CN). Taka sama reszta / rodnik znajduje się w owocach czarnej jagody, borówek, truskawek i w wit. B12. Nikt nigdy nie słyszał o zatruciu cyjankiem po spożyciu witaminy B12 lub borówek – ponieważ nie są one trujące. Reszta kwasu cyjanowodorowego (CN) i kwas cyjanowodorowy to dwie zupełnie różne substancje chemiczne, podobnie jak czysty sód (Na$^+$) – jedna z najbardziej trujących substancji znanych człowiekowi – oraz chlorek sodu (NaCl), czyli sól kuchenna, są dwiema zupełnie różnymi substancjami.

Skoro tak jest, to skąd wzięła się informacja, że letril zawiera "wolny" cyjanowodór? Tak właśnie głosiła Agencja ds. Żywności i Leków (FDA).

Pamiętam, że pod koniec lat 60. bądź na początku 70. wpadł mi w ręce komunikat prasowy wydany przez FDA. Napisano w nim, iż istnieją propagatorzy substancji zwanej "letrilem" (wtedy jeszcze nic o nim nie wiedziałem), którzy twierdzą, że w obecności nowotworu tworzy ona cyjanowodór. Dalej komunikat podawał, że gdyby była to prawda, oznaczałoby to, iż odkryto wreszcie środek działający wyłącznie na nowotwór: a zatem środek bardzo potrzebny chorym na raka. Tyle że następnie komunikat obwieszczał, iż FDA przeprowadziła staranne badania owego "letrilu" i uznała, że nie zawiera cyjanowodoru, ani też że nie uwalnia cyjanowodoru w komórkach nowotworowych. Dlatego – głosił komunikat – letril jest bezużyteczny.

Kiedy jakiś czas potem potwierdzono, że letril jednak uwalnia cyjanowodór w komórkach raka, to w jaki sposób, zdaniem czytelnika, zareagowała FDA? Czy przyznała się do pomyłki? Czy przyznała, że jej testy i badania zostały wykonane niepoprawnie? Skądże! Otóż FDA stwierdziła, że letril zawiera kwas cyjanowodorowy i w związku z tym jest trujący.

Mamy oto taką sytuację: agencja amerykańskiego rządu federalnego najpierw stwierdza, że letril nie działa, ponieważ nie uwalnia kwasu pruskiego w komórkach raka. Natomiast gdy udowodniono, że jednak uwalnia, twierdzi, iż jest to związek toksyczny. **Wezwana do przedstawienia przed Sądem Federalnym dowodów na toksyczność letrilu FDA przyznała, że takich dowodów nie posiada.**

Witamina B17 w przypadku niektórych odmian raka ma ograniczone działanie, niemniej jest wyjątkowo skuteczna w walce z najczęstszymi odmianami nowotworów, np. raka płuc, piersi, prostaty, okrężnicy i chłoniaka-mi. Amerykański Krajowy Instytut Onkologii (National Cancer Institute) w szeroko nagłośnionych eksperymentach z 1981 roku usiłował – zresztą bez-skutecznie – wykazać, że letril jest nieskuteczny oraz toksyczny (patrz: *Świat bez raka*, G. Edward Griffin, Oficyna Wydawnicza 3.49&VitaFree). Dziś letril jest pierwszym środkiem walki w arsenale alternatywnego leczenia raka. Dr Contreras oznajmia: "Odkryliśmy, że letril skutecznie zwalcza no-wotwory złośliwe u ludzi. Co więcej, jest on także najskuteczniejszym środ-kiem profilaktycznym – zapobiega powstawaniu raka i jego remisjom. Po-nieważ nie jest toksyczny, można go bez ograniczeń używać w profilaktyce. Z kolei operacje, chemio i radioterapię można stosować jedynie przez czas ograniczony, zaś po tych zabiegach pacjenta nadal nic nie chroni przed no-wotworem".

Niniejsza publikacja pokaże przykładowo jak można poprowadzić terapię metaboliczną w zaciszu własnego domu.

Najczęściej stawiane pytania

1. Co to jest letril (witamina B17, amigdalina)?

2. Gdzie można kupić witaminę B17 ?

3. Dlaczego handel amigdaliną / B17 jest "nielegalny" w USA? Czy można ją legalnie kupić w Polsce?

4. Jaka jest zalecana dzienna dawka profilaktyczna B17?

5. Czym różni się zażywanie B17 w 100 mg tabletkach od pestek moreli stosowane w profilaktyce? Które z nich jest lepsze? Czy powinno się zażywać jedno i drugie jednocześnie?

6. Mam zdiagnozowanego raka. Czy witamina B17 jest skuteczna w każdym przypadku raka?

7. Mam zdiagnozowanego raka. Jaka jest zalecana dawka dzienna B17? Co powinienem przyjmować dodatkowo i jak długo?

8. Czy jest konieczne jednoczesne spożywanie pestek moreli i przyjmowanie witaminy B17 w trakcie kuracji metabolicznej?

9. Czy dostępne są nasiona bez łupin? Czy należy zjadać całą pestkę, czy też należy ją rozłupać i zjadać samo nasionko?

10. Co powinienem przyjmować wraz z witaminą B17?

11. Kto może podawać mi witaminę B17 w formie zastrzyków?

12. Czy zastrzyki z witaminy B17 są niebezpieczne? Mam wykształcenie medyczne i chciałbym je zastosować u bliskiej osoby.

13. Czy mogę brać witaminę B17 wraz z leczeniem naświetlaniami bądź chemioterapią, lub jeśli mam wyznaczony termin operacji chirurgicznej?

14. Jestem po naświetlaniach, chemioterapii i zabiegu chirurgicznym. Czy witamina B17 może mi jeszcze pomóc?

15. Po jakim czasie są widoczne efekty? Ile czasu zajmie zlikwidowanie i usunięcie komórek raka z mego ciała?

16. Przeżyłem raka. Jaka jest zalecana dawka zabezpieczająca przed nawrotami?

17. Jaka jest szansa powodzenia terapii w przypadku mojego typu raka?

18. Dlaczego onkolodzy nie używają powszechnie witaminy B17?

19. Jeśli rak jest wynikiem zaburzonej i niewłaściwej przemiany metabolicznej, jaki wpływ ma na niego zanieczyszczenie środowiska?

20. Czy witamina B17 może zapobiegać niszczącym efektom nadmiernego napromieniowania pochodzenia środowiskowego lub medycznego?

21. Jeśli mamy jeść nasiona (moreli), to dlaczego nie zostaliśmy przez naturę wyposażeni w dostatecznie mocne zęby do rozgryzania łupin pestek?

22. Czy przyjmowanie leków na inne schorzenia (cukrzyca, wysoki poziom cholesterolu, wrzody żołądka, wysokie ciśnienie) może przeszkadzać w kuracji witaminą B17?

23. Jak przechowywać nasiona po rozłupaniu pestki?

24. Czy istnieją udokumentowane przypadki nieskuteczności witaminy B17? Póki co, słyszę jedynie o cudownych uzdrowieniach. Czy są przypadki, w których witamina B17 nie wystarcza?

25. Jeśli witamina B17 zabija komórki raka przy pomocy cyjanku, to czy nie będzie niszczyć również zdrowych komórek?

...i odpowiedzi :

1. Co to jest letril (witamina B17, amigdalina)?

Letril, powszechnie znany jako witamina B17 lub amigdalina, jest natural-nym czynnikiem chemoterapeutycznym występującym w ponad 1200 gatun-kach roślin, a w szczególności w pestkach popularnych owoców, takich jak morele, brzoskwinie, śliwki i jabłka. Jest to dwuglukozyd z rodnikiem cyja-nowym, który jest wysoce bioprzenikliwy. Znaczy to, że łatwo przenika przez błonę komórki i łatwo osiąga wewnątrz niej wysokie stężenie. Komórki raka, bez względu na jego rodzaj, znane są jako trofoblasty. (Patrz: rozdz. 5 w *Świat bez raka,* G. Edward Griffin, Oficyna Wydawnicza 3.49, 2007). Te komórki zawierają dużą ilość enzymu zwanego betaglukozydazą, nazywane-go też in. enzymem odblokowującym. W reakcji z betaglukozydazą letril rozpada się na dwie cząsteczki glukozy, jedną cząsteczkę benzaldehydu oraz cząsteczkę kwasu cyjanowodorowego (in. pruskiego – HCN). W organizmie tylko komórki raka – i tylko one – zawierają enzym betaglukozydazy w ta-kim dużym stężeniu przy jednoczesnym braku enzymu blokującego – roda-nazy. Największe znaczenie dla działania letrilu ma tu fakt, że kwas cyjano-wodorowy musi zostać **utworzony.** Jego cząsteczka nie jest podczepiona do cząsteczki letrilu i uwalniana – wytwarza go dopiero betaglukozydaza; <u>pod-kreślmy – tylko betaglukozydaza jest w stanie wytworzyć kwas cyjanowodo-rowy z letrilu, w związku z tym cyjanowodór wydziela się jedynie w komór-kach raka.</u> Jeżeli w organizmie nie ma komórek nowotworowych, takie zja-wisko nie występuje. Ponadto komórki zdrowe zawierają enzym zwany roda-nazą, który "neutralizuje" amigdalinę (letril, B17). Letril zostaje zredukowa-ny do glukozy, która jest paliwem dla zdrowych komórek. Rodanaza **nie występuje** w komórkach rakowych. A skoro jej tam brak, to w komórkach raka z letrilu tworzony jest cyjanek oraz aldehyd benzoesowy co prowadzi do ich śmierci.

A dodatkowo dzięki rodanazie zachodzi wyeliminowanie rodnika cyja-nowego w zdrowych komórkach organizmów ssaków – przy udziale związ-ków zawierających siarkę wolny rodnik cyjankowy zmieniany jest w tiocyja-nian, substancję całkowicie nieszkodliwą, usuwaną wraz z moczem (patrz rys. str. 17).

2. Gdzie można kupić witaminę B17 ?

B17 (amigdalina, letril) tak jak i inne produkty wspomagające kurację metaboliczną, o których mowa w tej broszurze, są oferowane w wielu sklepach internetowych. Mieszkańcy USA mają pewne trudności z zakupem witaminy B17, ze względu na ograniczenia celne i zakazy wprowadzone przez FDA.

3. Dlaczego handel amigdaliną /B17/ jest "nielegalny" w USA? Czy można ją legalnie kupić w Polsce?

Nie ma ogólnokrajowego przepisu federalnego, który zakazuje letrilu. Nie występuje on również na żadnej z oficjalnych list środków zakazanych w USA. W Kalifornii obowiązują przepisy, które zakazują używania letrilu do leczenia raka u ludzi, o ile chodzi o raka określanego jako "nową narośl (guz) zajmujący miejsce w organizmie", lub jako neoplazm (nowotwór). W kilku stanach używanie letrilu jest "nielegalne" w sposób dość niebezpośredni – władze tych stanów umożliwiły wszelkim komisjom ds. raka ograniczanie dostępu do wszelkich środków leczniczych, również takich, których działania nie udowodniono. FDA wykorzystuje swoje przepisy – które **nie są** prawami federalnymi – by zakazywać handlu międzystanowego i sprzedaży letrilu, twierdząc iż jest on "nieatestowanym nowym lekiem" lub "fałszywym środkiem spożywczym bądź dodatkiem do żywności". Sęk w tym, że letril nie jest żadną z tych substancji. Nie jest zabronione posiadanie letrilu przez osoby prywatne i używanie go we własnym zakresie. Tak naprawdę to "nielegalność" letrilu nie jest podparta żadnym prawem federalnym, a jedynie zakazem FDA, przepisami stanowymi Kalifornii oraz naciskami, które stanowe rady lekarzy sądowych wywierają na lekarzach – rady te bowiem przyznają i odbierają licencje lekarskie. W praktyce traktowanie witaminy B17 (letrilu) jako substancji nielegalnej jest w takim samym stopniu bezsensowne, co np. proponowanie delegalizacji witaminy C lub niacyny (kwasu nikotynowego). W samej Kalifornii, pomimo obowiązujących tam przepisów stanowych, sąd kilkakrotnie przyznawał lekarzom prawo do wykorzystywania witaminy B17 w leczeniu chorych terapiami metabolicznymi, o ile nie twierdzili oni, iż w ten sposób leczą raka!

Amerykański urząd celny od ponad 10 lat pozwala na wwożenie amigdaliny przez granicę z Meksykiem bez jakichkolwiek zezwoleń. Amigdalina jest ekstraktem z pestek moreli, co czyni ją po prostu dodatkiem do żywności. FDA natomiast dobrze wie, że zarządzenia i przepisy są dość przejrzyste, więc do zwalczania amigdaliny wykorzystuje typowe taktyki biurokratyczne – czyli zmianę definicji. Według zaleceń FDA KAŻDA substancja używana do leczenia chorób może być uznawana za lek! W myśl tej absurdalnej interpretacji lekiem może być nawet zwykła woda – przecież leczy się nią odwodnienie! FDA nazywa "nowym lekiem" **każdą rzecz**, jeżeli istnieją choćby najmniejsze sugestie co do jej dawkowania.

W Polsce witamina B17 nie jest zakazana, lecz wiedza o niej zarówno wśród lekarzy, jak i farmaceutów jest prawie żadna. Żadne stosowane u nas procedury lecznicze nie przewidują jej stosowania i jeśli lekarz zaordynuje letril jako lek na konkretne schorzenie, robi to na własną odpowiedzialność. Z kolei może zalecić konkretny sposób odżywiania, w którym uwzględnione są naturalne suplementy żywnościowe, w tym również amigdalina.

Każdy w Polsce może sobie zamówić i sprowadzić amigdalinę / B17. Występuje również w postaci ekstraktu z pestek i jest naturalnym suplementem żywnościowym.

4. Jaka jest zalecana profilaktyczna dzienna dawka B17?

Co prawda nie ustalono minimalnej dawki dziennej chroniącej przed rakiem, lecz można ją określić, biorąc pod uwagę dwie poniższe sugestie:

Po pierwsze, według samego dr. Krebsa, owoce zawierające B17 należy spożywać w całości, także z nasionami. Nasion nie powinno się jeść więcej, aniżeli zjadłoby się ich wraz z owocem, to znaczy, że jeżeli jemy trzy jabłka dziennie, to wystarczy nam ilość nasion w trzech jabłkach. Nie powinno się zjadać ich więcej.

Po drugie, uważa się, iż przed rakiem chroni znakomicie jedno nasiono moreli lub brzoskwini na 5 kg masy ciała, aczkolwiek dokładna dawka dzienna zależy od nawyków żywieniowych i przemiany materii każdego człowieka. Osoba ważąca ok. 85 kilogramów może zjeść 17 nasion moreli lub brzoskwini dziennie, by otrzymać bezpieczną i odpowiednią dawkę B17. Natomiast w przypadku B17 dawkowanej w postaci tabletek 100 mg, wystarczą 2-3 tabletki.

Dwie uwagi na koniec:
– nigdy nie powinno się przesadzać z ilością spożywanych pestek; zjedzenie zbyt wielkiej ich ilości na raz może wywołać nieprzyjemne skutki uboczne;
–zjadać należy rozsądne ilości pestek (nie więcej niż 30-35 dziennie).

5. Czym różni się stosowane w profilaktyce spożywanie B17 w tabletkach od nasion moreli? Co jest lepsze? Czy powinno się zażywać jedno i drugie jednocześnie?

Dr Krebs zawsze uważał, że w przypadku zapobiegania rakowi witamina B17 w formie naturalnej (np. pestek moreli) jest lepsza od oczyszczonej. Tak przecież jest z innymi rodzajami żywności: witamina C w postaci naturalnej (w grejpfrutach czy pomarańczach) jest lepsza od tabletek. Cała różnica polega na tym, że tabletki są wygodniejsze. Pestki mają gorzkawy smak i niektórzy ludzie wolą tabletki. Jednakże większość ludzi przyjmuje B17 w obu postaciach. Jest to bezpieczne, bowiem zauważmy, że wielu chorych na raka przyjmuje do 4x więcej nasion niż zaleca się osobom zdrowym i do 50x więcej B17 w postaci oczyszczonej (np. w tabletkach). Nie trzeba brać B17 w obu postaciach na raz, lecz można tak robić i nadal zachowywać rozsądny poziom dawek.

6. Mam zdiagnozowanego raka. Czy witamina B17 jest skuteczna w każdym przypadku raka?

Dr Krebs twierdził, że tak. Komórki raka mają specyficzną charakterystykę (patrz: *Świat bez raka,* G. Edward Griffin) i zawierają w znacznej ilości enzym zwany betaglukozydazą, zwany także enzymem odblokowującym. Kiedy cząsteczka letrilu w obecności wody wchodzi w kontakt z tym enzymem zostaje ona rozłożona na dwie cząsteczki glukozy, jedną benzaldehydu i jedną kwasu pruskiego (HCN). Największe znaczenie dla działania letrilu ma tu fakt, że kwas cyjanowodorowy musi zostać **utworzony.** Jego cząsteczka nie jest podczepiona do cząsteczki letrilu i uwalniana – dopiero betaglukozydaza uruchamia mechanizm jej tworzenia. Podkreślmy – tylko betaglukozydaza jest w stanie wytworzyć kwas cyjanowodorowy z letrilu, a że występuje ona tylko w komórce raka bez obecności enzymu blokującego (rodanazy), to cyjanowodór i benzaldehyd wydzielane są jedynie w tych komórkach.

7. Mam zdiagnozowanego raka. Jaka jest zalecana dawka dzienna B17? Co powinienem przyjmować dodatkowo i jak długo?

Jeśli masz raka, to najprościej będzie rozważyć przyjęcie jak największej ilości witaminy B17 w możliwie jak najkrótszym czasie. Ernest T. Krebs jr.

Wiele osób bierze tylko i wyłącznie witaminę B17, wiele zaś przyjmuje ją jako jeden ze składników pełnej kuracji metabolicznej. Najlepszym rozwiązaniem jest potraktowanie witaminy B17 jako części wszechstronnego programu, zawierającego liczne uzupełniające się elementy, z których każdy pełni ważną rolę w skutecznej terapii.

Aby jednak odpowiedzieć wyczerpująco na pytanie, oto dawki zalecane przez dr. Contrerasa z Oasis of Hope Hospital :

FAZA I (POCZĄTKOWA):
AMIGDALINA, (witamina B17) 6 gram dożylnie, raz na dzień, powtarzać przez 21 dni. Lub: AMIGDALINA, 3 gramy (6 tabletek po 500 mg) doustnie, przez 21 dni.

Równolegle ordynuje się enzymy proteolityczne (trzustki), witaminę C, kwas pangamowy – witaminę B15, AHCC (Active Hexose Correlated Compound), chrząstkę rekina (czysta 100%), witaminę A (w postaci emulsji), kiełki jęczmienia, antyoksydanty oraz inne odżywki. Terapia ta ma za zadanie bardzo agresywne zwalczanie raka, i nie czyniąc przy tym szkody pacjentowi jednocześnie wzmacniać jego układ odpornościowy.

FAZA II (KONTYNUACJA):
AMIGDALINA, (witamina B17) 2 gramy (cztery tabletki 500 mg) dziennie doustnie, przez następne trzy miesiące + wszystkie pozostałe składniki fazy I.

PO FAZIE II:
Faza III terapii metabolicznej polegająca na kontynuowaniu fazy II lub, jeśli rak jest w stanie remisji, programie profilaktycznym.

Witamina B17 jest rozpuszczalna w wodzie i nie jest toksyczna. Jest równie bezpieczna jak cukier lub woda, a zarazem bezpieczniejsza od aspiryny. Bardzo mały odsetek przyjmujących pacjentów odczuwa mdłości po zażyciu dużej dawki jednorazowo – ale to samo dotyczy spożycia zbyt dużej ilości cukru, soli bądź wody na raz. W przypadku mdłości należy przyjmować częściej mniejsze ilości witaminy B17. Jeśli jesteś chory na raka, to dawka dzienna wynosi od 6 do 10 tabletek 500 mg dziennie przez pierwsze 21 do 30 dni. Jeśli poczujesz mdłości, podziel tabletkę na połowę i po zażyciu pierwszej połówki poczekaj godzinę, by przyjąć drugą. Dobrze jest przyjmować tabletki po posiłku. Po fazie początkowej, która trwa od 21 do 30 dni, dawka maleje do 4–6 tabletek na dzień. Wtedy należy je łykać przez następne trzy miesiące.

8. Czy jest konieczne jednoczesne spożywanie pestek moreli i przyjmowanie witaminy B17 w trakcie kuracji metabolicznej?

Dr Contreras uważa, że tak – bowiem nie wszystkie składniki z pestek znajdują się w oczyszczonej postaci amigdaliny. Pestki są naturalną formą występowania witaminy B17 – zawierają wiele innych składników, których działanie łączy się z działaniem oczyszczonej postaci, pomagając organizmowi przyswoić jej aktywne składniki. Na początku kuracji pacjent powinien przyjmować jedno nasiono moreli na każde 4-5 kg wagi ciała, wraz z oczyszczoną B17, przyjmowaną doustnie lub dożylnie. Jeżeli pacjent dobrze znosi takie dawki, można je zwiększyć do 30, a nawet 35 nasion dziennie.

UWAGA! Dorosłym w zasadzie nie zaleca się spożywania więcej niż 6 nasion na godzinę i 30 dziennie, a to dlatego, że nasiona uzyskiwane z pestek poszczególnych odmian moreli mogą dość znacznie różnić się zawartością amigdaliny.

Podkreślić należy, że pacjent powinien przyjmować wysokie dawki B17 (w tym i nasiona) na pełny żołądek. Poza tym, pacjent powinien jednocześnie zjadać rozsądne ilości owoców zawierających nitrylozydy. Są to owoce zawierające B17 (czyli morele, brzoskwinie, śliwki, nektarynki, jabłka, gruszki i wiśnie). W miąższu takich owoców znajdują się substancje, które neutralizują działanie śladowych ilości betaglukozydazy, obecnych w ślinie, żołądku i jelitach. To właśnie ona sprawia, iż niektórzy ludzie odczuwają mdłości, przyjmując duże dawki B17.

9. Czy dostępne są nasiona bez łupin? Czy należy zjadać całą pestkę, czy też należy ją rozłupać i zjadać samo nasionko?

Należy rozłupać pestkę i zjadać znajdujące się wewnątrz nasiono. Wielu producentów i dostawców oferuje łuskane nasiona gotowe do spożycia.

10. Co powinienem przyjmować wraz z witaminą B17?

Jeśli masz raka, to zgodnie z zaleceniami dr. Contrerasa (jednego z pionierów leczenia witaminą B17 i dyrektora medycznego Oasis of Hope Hospital) powinieneś poddać się terapii, która będzie wspomagać twój układ odpornościowy do walki z nowotworem. Oasis opracował program detoksyfikacyjny, który pozwala uzyskać najlepsze wyniki w walce z chorobą. Zespół dr. Contrerasa leczy przy pomocy następującego zestawu: letril, enzymy proteolityczne (enzymy trzustki), witamina C, chrząstka rekina (100% czysta), witamina A (w emulsji), kwas pangamowy (witamina B15), przeciwutleniacze, żywność zawierająca nitrylozydy (np. nasiona moreli) oraz inne składniki odżywcze. Każdy z tych składników jest bardzo ważny w skutecznej walce z rakiem. Enzymy trzustki, na przykład, występują w naturze m.in. w owocach ananasa i papai. Poza tym wytwarza je oczywiście nasza trzustka; służą one do trawienia białek zwierzęcych. Ich zadaniem jest również zniszczenie chroniącej komórkę nowotworową ujemnie elektrostatycznie naładowanej otoczki białkowej (*pericellular sialomucin*), która odpycha białe ciałka krwi –komórka wtedy nie może się bronić przed układem odpornościowym.

Celem terapii metabolicznej jest przede wszystkim przywrócenie choremu organizmowi szczytowej kondycji. Niestety, większość pacjentów podejmuje leczenie terapiami alternatywnymi (a w tym i metaboliczną), gdy ich organizm jest już poważnie wyniszczony chemioterapią, naświetlaniem, zabiegami chirurgicznymi oraz samym nowotworem. Właśnie dlatego do terapii metabolicznej powinno się włączyć substancje odżywcze, które pomagają w przywracaniu zdrowego stanu. Szpik kostny, chrząstki wołowe i kolagen pomagają w odbudowie tkanki kostnej w przypadku raka kości. Grzyby z rodzaju maitake i shittake (najlepiej przebadane naukowo grzyby) zawierają w sobie substancję antywirusową zwaną lentinanem, która stymuluje układ immunologiczny i unieczynnia wirusy. Pod kątem wykorzystania w terapii leczenia raka bada się również inne substancje odżywcze: Essiac, AHCC, koenzym Q10, siarczan hydrazyny, ekstrakt z pestek grejpfruta (dostępny na polskim rynku jako Citrosept), IP-6, minerały koloidalne, witaminę E, multiwitaminy i minerały, imbir, betakaroten, koci pazur, echinaceę, oset mleczny, melatoninę, owoce noni (z wysp Pacyfiku) bądź surową grasicę. Większość tych substancji jest dostępna w handlu.

Wśród naukowców i lekarzy holistycznych panuje przekonanie, iż łączenie kilku terapii odnosi lepszy skutek niż stosowanie wyłącznie jednej. Można zmieniać składniki terapii metabolicznej zgodnie ze swoimi potrzebami.

11. Kto może podawać mi witaminę B17 w formie zastrzyków?

Witaminę B17 może dożylnie podać lekarz lub pielęgniarka. Zastrzyki te są bezpieczne, nietoksyczne oraz nie wywołują skutków ubocznych. O zrobienie zastrzyku można poprosić lekarza, pielęgniarkę, a nawet krewnego. Zanim zakupimy sobie B17 w postaci zastrzyków, najpierw warto znaleźć kogoś, kto zgodzi się nam ją podać.

12. Czy zastrzyki z witaminy B17 są niebezpieczne? Mam wykształcenie medyczne i chciałbym je zastosować u bliskiej osoby.

Pytanie raczej powinno brzmieć: "Na jakie ryzyko narażamy chorego NIE podając mu witaminy B17"? Zastrzyki dożylne z B17 są bezpieczne i nietoksyczne. Bardziej toksyczny jest cukier bądź sól. Znacząca większość pacjentów reaguje pozytywnie na leczenie letrilem, poczynając od poprawy samopoczucia i jaśniejszego spojrzenia na świat do widocznych efektów fizycznych, takich jak: poprawa apetytu, przybieranie na wadze, odzyskanie naturalnego koloru skóry, redukcja oraz eliminacja bólów i nieprzyjemnego zapachu towarzyszącego chorobie nowotworowej.

13. Czy mogę brać witaminę B17 wraz z leczeniem naświetlaniami bądź chemioterapią, lub jeśli mam wyznaczony termin operacji chirurgicznej?

Lekarze zajmujący się kuracją metaboliczną uważają, że w przypadku leczenia ortodoksyjnego terapia metaboliczna jest wręcz niezbędna. Lekarze stosujący ortodoksyjne metody leczenia nowotworów – chemioterapię, naświetlania bądź zabiegi chirurgiczne – często wyrządzają nimi poważne szkody w organizmie i jego systemie obronnym. Rak jest chronicznym schorzeniem o podłożu metabolicznym i powinien być leczony jak schorzenie metaboliczne. Słowo "chroniczne" znaczy, że jeśli choroba już się pojawi, to będzie trwała w sposób niekontrolowany i nienaprawialny, o ile nie zacznie się jej leczyć. "Metaboliczna" znaczy po prostu, że w zasadzie jedynym sposobem jej leczenia jest stosowanie rozpuszczalnych w wodzie lub tłuszczu składników normalnej diety. Problem z leczeniem ortodoksyjnym jest taki, że nie zwalcza się przy jego pomocy przyczyn choroby, a jedynie jej objawy. Z kolei terapia metaboliczna ma na celu uzupełnienie braków w składnikach odżywczych (braków, które uniemożliwiają organizmowi zwalczanie nowotworu), a jednocześnie wzmacnia układ odpornościowy.

Najlepiej spytać swojego lekarza jaki jest procent wyleczeń i przeżycia po chemioterapii, naświetlaniu oraz interwencji chirurgicznych dla naszej odmiany raka. Należy też poprosić go o podanie prawdziwych danych statystycznych. Można również poprosić o profesjonalne opisy leków, które mają być zastosowane w leczeniu twojego nowotworu. Warto przecież wiedzieć z góry czy leczenie ortodoksyjne może pomóc czy zaszkodzić. W wielu przypadkach raka leczenie tradycyjne jest gorsze od samej choroby. W przypadku operacji chirurgicznych, czy nawet samej biopsji, komórki raka zostaną naruszone (co, *nota bene*, znacznie zwiększa prawdopodobieństwo przerzutów). Właśnie dlatego bezwarunkowo należy brać witaminę B17, by zniszczyć wszelkie nieusunięte komórki nowotworowe.

14. Jestem po naświetlaniach, chemioterapii i zabiegu chirurgicznym. Czy witamina B17 może mi jeszcze pomóc?

Dr Krebs twierdził, że tak. Lecz należy pamiętać, iż metaboliczna terapia witaminą B17 pomoże zwalczyć twemu organizmowi komórki raka, jednocześnie nie szkodząc twojemu układowi obronnemu. Niemniej nie da się przy jej pomocy odwrócić uszkodzeń narządów, wywołanych przez sam nowotwór lub chemioterapię i naświetlania. Poza tym każdy chory, w dowolnym stanie choroby, może poddać się terapii metabolicznej.

15. Po jakim czasie są widoczne efekty terapii B17? Ile czasu zajmie zlikwidowanie i usunięcie komórek raka z mojego ciała?

Zwykle obserwuje się dwa rodzaje efektów terapii metabolicznej letrilem. Można je uznać za efekty subiektywne i obiektywne.

Efekt subiektywny obserwuje się natychmiast po rozpoczęciu leczenia – to zmniejszenie bólu, którego wskazówką jest zazwyczaj zmniejszenie dawek środków przeciwbólowych lub narkotyków; poprawa samopoczucia, zwiększenie apetytu, zniknięcie odoru, wzrost energii i wytrzymałości chorego, przyrost wagi oraz wzrost siły mięśni.

Efekt obiektywny to poprawa wyników badania krwi i moczu, zwiększona regeneracja tkanek, zmniejszenie obrzęków, spadek poziomu gonadotropiny kosmówkowej w moczu i osoczu oraz cofnięcie się wszystkich objawów choroby. Efekty te objawiają się w ciągu 3 tygodni leczenia, a najpóźniej w przeciągu czterech miesięcy. Całkowity efekt można zaobserwować w zasadzie po 4 miesiącach leczenia, maksymalnie – po roku.

Generalnie rzecz biorąc, w trakcie terapii letrilem komórki nowotworowe zostają zaatakowane natychmiast. W przypadku niektórych typów nowotworu, np. raka kości lub mózgu, witamina B17 potrzebuje więcej czasu by wniknąć do chorych tkanek. Według dr. Krebsa na leczenie B17 najszybciej reaguje rak skóry: *Już po tygodniu stosowania można dostrzec widoczną poprawę, a w wielu przypadkach całkowita regresja następuje w czasie krótszym niż trzy tygodnie. W przypadku niektórych odmian raka regresja może trwać nawet kilka miesięcy, ale odnotowano przypadki całkowitej regresji raka mózgu w czasie krótszym niż trzy tygodnie.*

16. Przeżyłem raka. Jaka jest zalecana dawka zabezpieczająca przed nawrotami?

Zgodnie z doświadczeniem dr. Krebsa ciężkie przypadki raka można wyleczyć i utrzymać pod kontrolą dzięki doustnym dawkom witaminy B17 rzędu 1 g (tzn. 1000 mg) dziennie. Niemniej niektórzy pacjenci twierdzą, iż czują się lepiej lub bezpieczniej, biorąc dziennie 1,5–2 g. Dawka zależy od samopoczucia pacjenta, poprawy jego stanu psychicznego, zmniejszenia poczucia zagrożenia i nerwowości, wzrostu apetytu, wagi i wykazywanego przez niego względnie normalnego poziomu optymizmu i zainteresowania swoim otoczeniem.

U niektórych pacjentów rak może powrócić pod wpływem pewnych niezwykłych sytuacji, stresu lub innych chorób. Powinni o tym pamiętać szczególnie ci pacjenci, u których zatrzymano postęp nowotworu, lecz nie zwalczono go do końca. Profilaktyczną dawkę dzienną witaminy można zmniejszyć do minimum 500 mg, pod warunkiem że nowotwór udało się kontrolować skutecznie przez minimum 2 lata, zaś u pacjenta widać obiektywne efekty leczenia, w postaci przyrostu masy ciała, wzrostu siły fizycznej, relatywnie normalnego wigoru i aktywności, ujemnych testów moczu i krwi na hCG oraz dobrych wyników badań (zdjęć RTG, USG, itd.).

17. Jaka jest szansa powodzenia terapii w przypadku mojego typu raka?

Szansa powodzenia zależy od stadium raka oraz ewentualnych szkód poczynionych przez metody konwencjonalnego leczenia – chemioterapię, naświetlania i chirurgię. Natomiast witamina B17 może jedynie pomóc pacjentowi, a nie zaszkodzić. Leczenie terapią metaboliczną najlepiej rozpocząć od razu po stwierdzeniu raka. Dr Krebs uważał, że szanse powodzenia wynoszą 98% dla przypadków raka w stadium początkowym, bez przerzutów, kiedy pacjent nie został poddany leczeniu chemią, naświetlaniami lub chirurgicznie. W przeciwnym razie wszystko zależy od stopnia rozsiania nowotworu po organizmie i jak bardzo ciało wyniszczyły powyższe metody leczenia. W obu przypadkach należy rozpocząć leczenie terapią metaboliczną, by uzupełnić braki w żywieniu organizmu, które pozwoliły na rozwój choroby.

Jeżeli możesz jeść, utrzymywać jedzenie w żołądku, normalnie wydalać, jeżeli twój organizm pracuje normalnie, to jesteś idealnym kandydatem do terapii metabolicznej.

18. Dlaczego onkolodzy nie używają powszechnie witaminy B17?

Aby odpowiedzieć na to pytanie w pełni, musielibyśmy napisać więcej, niż pozwala nam na to ten dział. Pisarz G. Edward Griffin poświęcił na tę odpowiedź całą część swojej książki *Świat bez raka*. Wyjaśnia w niej wyczerpująco nieuczciwość i korupcję panującą w dziedzinie produkcji nowych leków. Prześledził tam również wnikliwie pierwsze badania, według których letril został uznany za "bezużyteczny" oraz udowadnia, że badania te były sfałszowane. Analizuje zarządzenia FDA zakazujące używania letrilu jako środka rzekomo nieprzebadanego oraz ciekawy w swej istocie zakaz badania działania letrilu dla wszystkich, poza jego przeciwnikami.

Autor przedstawia również wczesną historię I.G. Farben – kartelu chemiczno-farmaceutycznego, jego sukcesów w USA, i "małżeństwa" z DuPontem, Standart Oil oraz Ford Company. Pokazuje wpływ karteli farmaceutycznych na szkolnictwo medyczne, metody nauczania medycyny nastawione na używanie leków sztucznych oraz rolę fundacji dobroczynnych w przejęciu kontroli nad nauczaniem medycyny. Wspomniana książka jest jedną z niewielu pozycji, które opowiadają prawdziwą historię witaminy B17, pozwalając czytelnikowi odnaleźć samodzielnie prostą, skuteczną odpowiedź na powyższe pytanie.

19. Jeśli rak jest wynikiem zaburzonej i niewłaściwej przemiany metabolicznej, jaki wpływ ma na niego zanieczyszczenie środowiska?

Zanieczyszczenia pochodzące ze środowiska szkodzą wątrobie, a właśnie ten organ jest najważniejszym "odtruwaczem" organizmu. Jeżeli, na przykład, wątroba usuwa nadmiar estrogenu, natomiast zanieczyszczenia z zewnątrz obniżają jej wydolność, to estrogen może osiągnąć w organizmie poziom, przy którym zaistnieje możliwość powstania raka. Jedząc jabłka opryskiwane arszenikiem, po pewnym czasie może dojść do marskości wątroby, która zmniejsza jej wydolność. Wtedy nie może ona usuwać czynników rakotwórczych i dochodzi do choroby nowotworowej. Podobnie jest z produktami rolnymi zawierającymi hormony, pestycydy, nawozy i środki chwastobójcze, a także z alkoholem spożywanym regularnie w dużych ilościach. Przyjmując bardzo duże dawki witaminy B17, można zmniejszyć ryzyko wystąpienia raka, niemniej zanieczyszczenia nadal mogą krańcowo szkodzić człowiekowi niszcząc ważne narządy.

20. Czy witamina B17 może zapobiegać niszczącym efektom nadmiernego napromieniowania pochodzenia środowiskowego lub medycznego?

Nie, i przyczyna tego jest zrozumiała. Natura nie przygotowała organizmu ludzkiego na tak wysokie dawki promieniowania, z jakimi można zetknąć się w naszych czasach. Nie istnieją naturalne mechanizmy mogące odwrócić śmiertelne skutki nadmiernego napromieniowania. Witamina B17 również nie jest w stanie tego zrobić. Promieniowanie radioaktywne jest dla tkanek komórkowych jednym z najbardziej zabójczych czynników. Nie dość, że może ono zniszczyć zdrowie organizmu w jednym pokoleniu, to jest w stanie uszkodzić lub wręcz zniszczyć materiał genetyczny, od którego zależy istnienie całego gatunku.

21. Jeśli mamy jeść nasiona [moreli], to dlaczego nie zostaliśmy przez naturę wyposażeni w dostatecznie mocne zęby do rozgryzania łupin pestek?

Na świecie istnieją jeszcze społeczności ludzkie, których nie osłabiły skutki uboczne korzystania ze zdobyczy współczesnej technologii. Ich uzębienie jest na tyle silne, że potrafią rozgryzać łupiny pestek moreli. Nawet psy potrafią je rozgryźć, by wyjeść nasiona ze środka. Wiewiórki, pręgowce amerykańskie (wiewiórki ziemne), niedźwiedzie oraz naczelne również tak postępują. Dyrektorzy ogrodów zoologicznych stwierdzili, że małpy – w tym małpy naczelne, gromadzą zapasy pestek moreli, jeżeli dostają te owoce w dużej ilości, jednocześnie gardząc ich miąższem. Małpy naczelne potrafią otwierać pestki rozłupując je o beton przy pomocy dłoni. Nasiona zawierające B17 są powszechnie jadane przez zwierzęta oraz ludy nomadyczne.

22. Czy przyjmowanie leków na inne schorzenia (cukrzyca, wysoki poziom cholesterolu, wrzody żołądka, wysokie ciśnienie) może przeszkadzać w kuracji witaminą B17?

Lekarze stosujący kurację metaboliczną uznają raka za miejscową manifestację choroby systemowej lub metabolicznej. Znaczy to – w ich rozumieniu – że do nowotworu złośliwego doprowadzają istniejące już stany chorobowe lub niedoboru. Celem terapii metabolicznej jest nie tylko wyleczenie z raka, ale uzdrowienie całego organizmu.

Odpowiedź na powyższe pytanie brzmi: można zacząć leczyć się terapią metaboliczną, nie przeszkadza ona w braniu żadnych leków i odwrotnie. Nie odkryto żadnej substancji, która pod wpływem letrilu zaszkodziłaby pacjentowi. Pamiętajmy, że letril nie jest farmaceutykiem, a jedynie witaminą, lub jak kto woli, suplementem diety.

Terapia metaboliczna ma poprawić stan chorego na tyle, by mógł obejść się bez powyższych leków do końca życia.

23. Jak przechowywać nasiona po rozłupaniu pestki?

Jeżeli przechowujemy je w szczelnych pojemnikach i warunkach chłodniczych, to dowolnie długo. Można trzymać nasiona moreli również w wyższych temperaturach – nie szkodzi to witaminie B17 – lecz przez czas ograniczony. A to dlatego, że zawarte w nich kwasy tłuszczowe zaczynają jełczeć i w ciągu kilku miesięcy nasiona się psują.

24. Czy istnieją udokumentowane przypadki nieskuteczności witaminy B17? Póki co, słyszę jedynie o cudownych uzdrowieniach. Czy są przypadki, w których witamina B17 nie wystarcza?

Owszem, istnieją. Rzecz w tym, że wielu pacjentów zaczyna leczenie terapią metaboliczną dopiero po przejściu chemioterapii, naświetlania lub chirurgii. Wtedy ich organizmy są wyniszczone nie tylko samym nowotworem, ale również powyższymi metodami leczenia. Niekiedy pacjenci dowiadują się o letrilu wtedy, gdy jest już dla nich za późno. Witamina B17 jest po prostu substancją, która jedynie w odpowiednich okolicznościach pomaga organizmowi zwalczyć raka, w ramach terapii żywieniowej lub metabolicznej, opartych również na podawaniu innych witamin, pewnych enzymów oraz diecie niezawierającej prawie żadnych białek zwierzęcych. Witamina B17 nie jest cudowną pigułką, która w magiczny sposób zwalczy raka i całkowicie uleczy organizm chorego.

25. Jeśli witamina B17 zabija komórki raka przy pomocy cyjanku, to czy nie będzie niszczyć również zdrowych komórek?

W żadnym wypadku! Badania wykazują, że normalne komórki zawierają enzym zwany rodanazą (tiosiarczan transulfurazy), który rozkłada amigdalinę, neutralizując resztę cyjanowodorową, co uniemożliwia powstanie kwasu cyjanowodorowego. Tak rozłożona cząsteczka amigdaliny zostaje przetworzona na glukozę, czyli źródło energii dla zdrowych komórek. Rodanaza nie występuje natomiast w komórkach nowotworowych, i dlatego obecność enzymu betaglukozydazy uwalnia resztę cyjanowodorową, z której powstaje kwas pruski, niszczący komórkę (patrz rys. na str. 15).

Opis składników terapii metabolicznej

B17 / Amigdalina / letril w zastrzykach

W Meksyku witamina B17 jest podawana dożylnie przez pierwsze 21 dni (faza I), a w fazie późniejszej doustnie. Niektórzy producenci dostarczają ampułki z 3 gramami amigdaliny. Dostarczają również strzykawki, jeżeli pozwalają na to przepisy w kraju odbiorcy. Zazwyczaj pudełko zawiera 10 fiolek. W szpitalu Oasis of Hope stosowane są dawki od 6 do 9 gram dziennie przez pierwsze dwadzieścia jeden dni. Procedurę tę stosowali doktorzy Harold Manner oraz Ernesto Contrereas. Amigdalina / B17 w tym wypadku podawana jest ze sulfotlenkiem dwumetylu (DMSO), substancją ułatwiającą przenikanie tkanek.

UWAGA: Testy kliniczne wielokrotnie wykazywały, że witamina B17 jest najbardziej skuteczna, gdy równolegle z nią podaje się chorym enzymy trzustki. Pozwalają one pokonać błonę komórek nowotworu.

Witaminy A i E w stanie zemulsifikowanej, wraz z wysokimi dawkami wit. C, B15, antyoksydantów, a także inne dodatki żywnościowe są często stosowane w kombinacji z B17 do walki z komórkami raka. Kliniki leczące terapiami metabolicznymi zawsze korzystają z powyższych środków.

B17 – Amigdalina – letril w tabletkach

Doustne dawkowanie witaminy B17 jest najłatwiejsze i często wykorzystywane w leczeniu raka. Tabletki zawierają aktywną B17, wyekstrahowaną z nasion moreli. Tabletki produkowane są zwykle w dwóch odmianach: 100 mg i 500 mg. Niektórym ludziom nazwy letril i amigdalina mylą się, lecz oznaczają one w zasadzie ten sam związek, czyli witaminę B17, i można ich używać zamiennie. W leczeniu klinicznym wykorzystuje się jednocześnie tabletki i nasiona moreli.

<u>Dr Contreras zaleca:</u>

2-4 tabletki 100 mg w ramach profilaktyki;

4-6 tabletek 500 mg dziennie dla chorych na raka, wraz z enzymami, antyoksydantami i innymi suplementami (patrz dalej fazy I i II terapii metabolicznej).

Dr Krebs dodaje: "Pacjenci z niskim poziomem kwasów żołądkowych, którzy wykazują reakcje uboczne w postaci osłabienia lub bólów głowy po podaniu amigdaliny doustnie powinni pić soki z cytrusów lub sok grejpfrutowy, albo brać tabletki z kwasem solnym, np. w postaci chlorowodorku betainy."

Megazyme Forté – suplement enzymów

Enzymy trzustkowe zwierające m.in. trypsynę i chymotrypsynę są zasadniczym składnikiem terapii witaminą B17. Dawkowanie standardowe to trzy tabletki po trzy razy, dwie godziny po posiłku – łącznie dziewięć tabletek na dobę. W terapii tej stosuje się również bromelainę, ze względu na jej działanie proteolityczne i prawdopodobny efekt synergistyczny, jaki wykazuje w działaniu z witaminą B17.

Dr Krebs twierdzi także: *Dla immunologii raka bardzo ważne jest działanie tych enzymów na błonę komórek nowotworowych, polegające na jej usuwaniu. Osobiście wolę, by pacjenci przyjmowali te enzymy, jedząc świeże ananasy i papaje, niż w postaci tabletek z wyciągiem z papai lub z bromelainą. Powinni spożywać również pół ananasa dziennie.*

Zestawy enzymów, zalecane przez dr. Krebsa, Hansa Niepera i Philipa Binzela, winny być pH-aktywne i uwalniające się dopiero w jelitach. Poniżej przedstawiono idealny skład zestawu:

Pankreatyna	1250 mg	a-chymotrypsyna	45 mg
Papaina	150 mg	Rutyna	100 mg
Bromelaina	150 mg	koncentrat z surowej grasicy cielęcej	55 mg
Trypsyna	125 mg	Glukonian cynku	10 mg
Lipaza	50 mg	Dysmutaza ponadtlenkowa	50 mg
Amylaza	50 mg	Katalaza	200 j.
		L-glutation	10 mg

Emulsifikowana witamina A

W roku 1963, kiedy dr Ernesto Contreras rozpoczynał swą działalność jako klinicysta onkologiczny, stosowanie witaminy A jako użytecznego składnika w leczeniu nowotworów złośliwych wydawało się nielogiczne i absurdalne. Dziś natomiast uznaje się ją za środek bardzo pomocny w zwalczaniu najczęstszych przypadków nabłoniaka, a także raka skóry, białaczki złośliwej oraz raka nabłonka przejściowego.

Pierwsze oficjalne badania nad antynowotworowym działaniem witaminy A zostały zainicjowane w Niemczech, w Monachium, przez naukowców z laboratoriów Mucos. Było powszechnie znanym faktem, że marynarze norwescy zapadają na raka płuc o wiele rzadziej niż inne grupy palaczy, mimo iż zaczynali palić za młodu. Logicznie biorąc powinno być na odwrót. Naukowcy z Mucos przebadali ów fenomen i odkryli, że Norwegowie od dzieciństwa spożywają duże ilości surowych wątróbek rybich zawierających mnóstwo witaminy A. Stąd nasunął się wniosek, że tak duże dawki witaminy A zapobiegają rozwojowi raka płuc, nawet u nałogowych palaczy. Odkryto przy tym, że witamina A jest w nadmiernych ilościach toksyczna.

Badacze postanowili przede wszystkim sprawdzić ile witaminy A można podać człowiekowi, by nie uszkodzić wątroby, a jednocześnie zapobiegać rakowi lub wręcz go leczyć. Rozwiązanie zaproponował jeden z badaczy, który zaobserwował, że świeże, niepoddane żadnym procesom mleko zawiera tę witaminę, oraz że nigdy nie stwierdzono zatrucia witaminą A u dzieci karmionych piersią. Okazało się, że natura rozwiązała problem toksyczności "umieszczając" witaminę A w mleku w postaci mikro-emulsji.

Badacze z Mucos postanowili przygotować swój koncentrat emulsji i stworzyli słynną wysoce stężoną **A-mulsynę**. Jedna jej kropla zawiera 15 000 jednostek witaminy A. Dzięki niej mogli podać pacjentowi milion jednostek dziennie w dawkach progresywnych, nie wywołując zatrucia wątroby. Jak to możliwe? Otóż witamina A w postaci emulsji jest wchłaniana od razu przez układ limfatyczny, nie przechodząc przez wątrobę w wielkich ilościach. Skoro rozwiązano problem toksyczności witaminy, można było przetestować jej działanie w wielkich dawkach. Wykazano zatem, że witamina A posiada następujące właściwości:

1. W normalnych dawkach chroni tkankę nabłonkową oraz wzrok.
2. W dawkach od 100 tys. do 300 tysięcy jednostek dziennie silnie stymuluje układ odpornościowy.
3. W dawkach od 500 tys. do 1 miliona jednostek dziennie silnie przeciwdziała rozwojowi nowotworów, zwłaszcza tkanki nabłonkowej i nabłonka przejściowego.

Chrząstka rekina

Twierdzi się, że rekiny są najzdrowszymi zwierzętami na ziemi. Są one odporne praktycznie na wszystkie choroby znane człowiekowi. Niektórzy naukowcy uważają, że tę odporność zawdzięczają swemu szkieletowi zbudowanemu w całości z chrząstki.

Dr Contreras twierdzi, że po podaniu chrząstki rekina pacjentom chorym na raka powstrzymywała ona rozrost naczyń krwionośnych, a to ograniczało rozwój zasilanych przez nie komórek rakowych. Dodatkowo chrząstka pobudza produkcję przeciwciał i pracę układu odpornościowego. Ponieważ jest nietoksyczna, zaleca się ją w terapii raka, lecz nie tylko – również na stany zapalne, np. reumatyzm czy zapalenie kości. Przy podawaniu pacjentowi chrząstki rekina zauważa się znaczne zmniejszenie się guza w okresie od jednego do góra trzech miesięcy. Stwierdzono też, że wzmaga ona skuteczność działania witaminy B17. Jest niewskazana u kobiet karmiących i będących w ciąży.

Pestki moreli

Pestki moreli są tanim i naturalnym źródłem witaminy B17. Zawierają również witaminy, minerały i enzymy, których brak w farmaceutycznej (przetworzonej) postaci witaminy B17.

Dr Krebs zaleca spożywanie ok. 10 nasion dziennie w ramach zapobiegania nowotworom, a w przypadku osób chorych na raka, zaleca spożywanie 30-35 nasion dziennie, w ramach uzupełnienia diety.

Niektórzy chorzy na raka dostają mdłości po zjedzeniu nasion moreli. W takich przypadkach kliniki zalecają zmniejszenie ilości pestek, a gdy pacjenci zaczną je tolerować, zwiększenie dawki. Nasiona muszą mieć charakterystyczny, gorzki smak – wskazuje on, iż zawierają witaminę B17. Część nasion moreli sprzedawanych w sklepach ze zdrową żywnością nie zawiera tej witaminy. Nasion nie należy połykać w całości, powinno się je miażdżyć, rozkruszać lub rozcierać na papkę.

UWAGA: Niektórzy chorzy na raka uważają, że do pokonania nowotworu wystarczą same nasiona moreli. Chory mimo wszystko powinien skonsultować się z lekarzem znającym terapią metaboliczną, który pomoże mu w dobraniu właściwego zestawu suplementów. Nasiona moreli są częścią diety dla ludzi chcących zapobiec rakowi, a także chorych przechodzących pierwszą i drugą fazę terapii metabolicznej.

Witamina B15

Została odkryta w roku 1952 przez dr. E.T. Krebsa jr. w trakcie badania chemicznych właściwości pestek moreli, podobnie jak witamina B17. Można by rzec, że był to uboczny produkt poszukiwań witaminy B17, taki nieoczekiwany bonus. Oto co dr Krebs mówił o B15: *Aby zrozumieć działanie witaminy B15, powinniśmy potraktować ją jak 'tlen w kapsułce'. Poprawia ona zdolność organizmu do przyswajania tlenu, a tym samym wspomaga w detoksyfikacji produktów przemiany materii. Komórki raka nie rozwijają się w obecności tlenu – polegają one na beztlenowej fermentacji glukozy – więc B15 jest przy okazji jednym z wielu środków przeciwnowotworowych.*

W 1965 roku Akademia Nauk Związku Radzieckiego opublikowała 205 stronicowy raport z konferencji naukowej, omawiający wyniki badań i odkryć związanych z witaminą B15. W roku 1968 Komitet Doradczy ds. nauki przy Ministerstwie Zdrowia zatwierdził dane raportu i upoważnił radziecki przemysł farmaceutyczny do masowej produkcji witaminy B15. Donoszono również o podawaniu radzieckim atletom dużych dawek B15 podczas olimpiad. Jeżeli tak było, to nie bez powodu. Badania dowiodły, że witamina ta znacznie zwiększa siłę fizyczną i kondycję. W jednym z doświadczeń szczury zmuszono do pływania w pojemnikach z wodą. Te, którym podano uprzednio witaminę B15 pływały jeszcze długo po tym, gdy inne zaczynały tonąć ze zmęczenia. Z kolei wśród szczurów, umieszczonych w komorach, z których stopniowo usuwano powietrze, najdłużej przeżywały te, którym podano B15 – mimo, że im dłużej przebywały w komorach, tym mniej miały do dyspozycji tlenu.

Naukowcy rosyjscy odkryli również, że B15 jest skuteczna w leczeniu niewydolności krążenia, chorób serca, chorób skóry, arteriosklerozy, astmy oskrzelowej, cukrzycy, obniża cholesterol w krwi oraz przyspiesza gojenie ran. W swoich odkryciach Rosjanie szczególny nacisk kładli na opóźnianie efektów starzenia! Profesor Szpirt z Miejskiego Szpitala Klinicznego nr 60 w Moskwie stwierdził: *Uważam, że kiedyś na stole każdej rodziny pangamian wapnia (B15) będzie równie powszechny, co sól kuchenna.*

Więcej danych na powyższy temat można znaleźć w *Vitamin B15 (Pangamic Acid); Properties, Functions and Use,* wydane przez McNaughton Foundation, Sausalito, California (w przekładzie z jęz. rosyjskiego wg wyd. oryg. Dom Wydawnictw Naukowych, Moskwa 1965).

Witamina C (estryfikowana)

Niewystarczające ilości kwasu askorbinowego (witaminy C) zwiększają ryzyko zachorowania na raka, chorób serca oraz degeneracji siatkówki oka –

zwłaszcza u osób starszych – nie mówiąc o śmiertelnej chorobie jaką jest szkorbut.

Ester-C jest substancją, która wzmacnia układ odpornościowy oraz działa przeciwutleniająco i odtruwająco. Prawie wszystkie zwierzęta na świecie potrafią sobie wytwarzać witaminę C w postaci askorbinianów. Tak się niestety złożyło, że organizm ludzki z przyczyn genetycznych "cierpi" na hipoaskorbemię, niezdolność do wytwarzania witaminy C we własnym ciele. Oprócz ludzi witaminy C nie wytwarza zaledwie kilka zwierząt – świnki morskie, małpy, w tym naczelne, oraz pewien gatunek nietoperza. Hipoaskorbemia może być przyczyną, dla której człowiek żyje krócej niż wynikałoby to z jego potencjalnych biologicznie możliwości. Psy, na przykład, osiągają pełną dojrzałość w wieku 2 lat, i żyją przeciętnie 7 razy dłużej, czyli 14 lat. Ludzie z kolei dojrzewają w wieku 20-25 (nie chodzi tu o wiek, w którym osiągają dojrzałość seksualną, a o zakończenie rozwoju fizycznego). Siedmiokrotność 20 to 140 lat. Jest bardzo prawdopodobne, że moglibyśmy żyć tak długo, gdybyśmy potrafili samodzielnie wytwarzać askorbiniany.

Ponadto z artykułów lekarzy-naukowców zajmujących się kuracjami metabolicznymi jasno wynika, że organizm nie jest w stanie leczyć się i regenerować bez witaminy C.

Ester-C jest niezwykłą postacią buforowanej witaminy C, połączonej z metabolitami. Metabolity to związki chemiczne pochodzące z substancji odżywczych, które produkuje organizm. Badania wykazały, że związki niekwasowej postaci witaminy C z metabolitami są dobrze przyswajane i zatrzymywane w komórkach krwi i tkankach. Działanie produktu wzmacnia mieszanka bioflawonoidów, aceroli, owoców dzikiej róży oraz rutyny.

Ester-C powstaje dzięki naturalnej metodzie produkcji, uzyskując postać witaminy C łagodnej dla żołądka, o neutralnym pH. – to jedyna postać witaminy C zawierająca metabolity, służące do poprawienia jej przyswajalności.

AHCC® – Active Hexose Correlated Compound

AHCC to wyciąg (ekstrakt) otrzymywany ze skrzyżowania kilku gatunków grzybów, hodowanych w środowisku ciekłym. AHCC zawiera naturalnie występujące korzystne składniki zwane oligosacharydami (alfa-1-4-glukan), aktywowaną hemicelulozę, aminokwasy i glikoproteiny.

Testy kliniczne wykazały, że AHCC może być obiecującym dodatkiem do tradycyjnych metod leczenia raka. Udowodniono, iż podnosi skuteczność leczenia, redukuje wiele efektów ubocznych leczenia ortodoksyjnego oraz poprawia samopoczucie. Według naukowców z japońskich uniwersytetów w Hokkaido, Kyorin i Teikyo, AHCC znacznie wzmacnia mechanizmy odpornościowe całego ciała. Odkryli, iż pobudza produkcję komórek NK, leukocytów T i zmusza organizm do wytwarzania cytokininy. Ponadto zwiększa poziom interferonu Gamma, IL-12, IL-2 i TNF-alfa oraz hamuje 1AP oraz TGF-beta. Badania nad działaniem AHCC trwają przez cały czas i mają za cel odkrycie dokładnego mechanizmu tych zjawisk.

AHCC wzbudził zainteresowanie badaczy amerykańskich. Ostatnio prowadzone badania w meksykańskim Oasis of Hope Hospital, dały bardzo pomyślne wyniki. Również niedawno Uniwersytet Kalifornijski prowadził sześciomiesięczne badania, podczas których pacjentom z rakiem prostaty podawano 9 gramów AHCC dziennie. Z kolei Southwest College of Naturopathic Medicine wdrożył sześciomiesięczny program koncentrujący się nad badaniem wpływu AHCC na pacjentów z HIV / AIDS.

Oprócz powyższych oficjalnych programów badawczych, wielu uczonych oraz instytucji naukowych, wśród których można wymienić Uniwersytet Columbia, nieformalnie bada właściwości AHCC. Obecnie prowadzone są również próby leczenia AIDS i osób z wirusem HIV przy pomocy AHCC.

Witamina E (octan d-alfa tokoferolu)

Witamina E jest silnym antyoksydantem, rozpuszczalnym w tłuszczach. Chroni błony komórkowe oraz inne elementy organiczne. Dr Philip Binzel opisuje jej terapeutyczne zastosowanie wraz z wit. B17 w książce *Alive and Well*. Z kolei dr Krebs w swojej książce *The Physician's Handbook of Vitamin B-17 Therapy* opisuje rzecz następująco:

> Witamina E może wzmocnić antyoksydacyjne działanie witaminy C i pomóc w zachowaniu tlenu w tkankach. Pacjenci z wysokim ciśnieniem krwi powinni zaczynać od małych dawek, które podwyższa się w miarę adaptacji ciśnienia. Stosuje się dawki rzędu od 300 do 2400 I.U. dziennie.

PREVEN-CA® – preparat przeciwutleniający

PREVEN-CA to naturalne źródło bardzo ważnych dla organizmu substancji odżywczych; zawiera silne antyoksydanty i inne substancje o dużej wartości ochronnej i zapobiegawczej. Antyoksydant zapobiega niszczeniu komórek przez wolne rodniki, które powstają na skutek diety wysokotluszczowej, palenia tytoniu, zanieczyszczenia powietrza, spożywania alkoholu, promieniowania ultrafioletowego i działania innych czynników generowanych przez nasz "nowoczesny" sposób życia. Wielu pacjentów bierze PREVEN-CA wspomagając leczenie raka i jest on obecnie szeroko stosowany w USA, Japonii i Meksyku.

PREVEN-CA składa się z chrząstki rekina i ziół leczniczych, zawierających wiele podstawowych aminokwasów. Została opracowana przez lekarzy z Oasis of Hope Hospital jako środek hamujący rozwój guzów nowotworowych, dostarczający organizmowi antyoksydanty celem jego odtrucia, wzmocnienia układu odpornościowego oraz uzupełnienia diety o istotne składniki odżywcze.

Szczegółowy skład preparatu PREVEN-CA:

Carduus marianus, Silybum marianum: ekstrakt z ostropestu plamistego. Zawiera flawonolignany, m.in. sylimarynę, flawonoidy, gorycze i aminy biogenne. Chroni komórki wątrobowe przed szkodliwymi toksynami, które potrafi usuwać z wątroby. Jest potężnym antyoksydantem. Ponadto regeneruje uszkodzone komórki wątroby. Ekstrakt ten zaleca się zwykle w przeciwdziałaniu skutkom picia alkoholu na wątrobę. Nie wywołuje skutków ubocznych.

Ekstrakt z pestek winogron: zawiera proantocyjanidyny, które są przeciwutleniaczami (antyoksydantami). Ponadto stabilizują kolagen i elastynę, dwa najważniejsze białka występujące w tkance łącznej, naczyniach krwionośnych i mięśniach.

Marchew: przeciwutleniacz, wzmacnia układ odpornościowy.

Witaminy: A (20 tys. jednostek), B1, B2, B3, B5, C, E i K.

Mineraly: sód, wapń, potas, magnez, cynk, żelazo, mangan, miedź.

Białka i aminokwasy

Chrząstka rekina (patrz opis wyżej)

Czosnek: O czosnku wspominają już Biblia i Talmud. Antyczni medycy – Hipokrates, Galen, Pliniusz Starszy oraz Dioskurydes – opisują wykorzystanie czosnku w leczeniu wielu przypadłości, w tym zwalczaniu pasożytów, chorób dróg oddechowych, kłopotów z trawieniem oraz spadku energii organizmu. Chińczycy wspominali o leczeniu czosnkiem już w 510 roku naszej ery. W 1858 roku Ludwik Pasteur potwierdził naukowo antybakteryjne działanie czosnku. Badania współczesne wykazują, że regularne spożywanie czosnku zmniejsza ryzyko wystąpienia raka przełyku, żołądka i okrężnicy. Częściowo dlatego, że czosnek wykazuje zdolność do eliminowania czynników rakotwórczych. Testy u zwierząt oraz badania laboratoryjne również wykazały, że czosnek i zawarte w nim związki siarki hamują rozwój różnych typów nowotworów, zwłaszcza raka skóry i piersi.

Lucerna siewna: Roślina ta zawiera zdumiewającą ilość substancji odżywczych niezbędnych dla zdrowego odżywiania. Są to białka, witaminy A, B1 (tiamina), B2 (ryboflawina), C, K, prócz tego fosfor, wapń, cynk, żelazo, magnez, mangan i miedź w formach łatwo przyswajalnych.

Boldoa aromatyczna (in. *Peumus boldus* Mol., syn. *Boldoa fragrans* Gay., orcza boldo): Naukowcy uważają, iż alkaloid zwany boldyną, zawarty w tej roślinie, jest moczopędny i pobudza wydzielanie żółci. B.a. w połączeniu z innymi ziołami, takimi jak cascara, in. szakłak amerykański (*Rhamnus purshiana* DC.), rabarbar i korzeń goryczki żółtej (*Gentiana lutea* L.) zmniejsza objawy towarzyszące utracie apetytu.

Uważa się powszechnie, iż bezpośrednią przyczyną ok. 60% chorób zwyrodnieniowych są niedostatki naszej diety. Właściwa dieta, to najprawdopodobniej najistotniejszy czynnik zapobiegający występowaniu chorób zwyrodnieniowych. PREVEN-CA jest naturalnym specyfikiem w postaci kapsułek, który dostarcza większość składników odżywczych, których potrzebujemy codziennie, a których obecnie brak w diecie przeciętnego obywatela krajów rozwiniętych. Wiele z tych substancji jest niezbędnych do prawidłowej pracy organizmu.

Daily Complete ® – multiwitamina w płynie

Suplementy multiwitaminowe i mineralne zawierają zmienną ilość podstawowych substancji odżywczych. Są one wygodnym sposobem przyjmowania różnych suplementów żywieniowych w postaci jednego produktu, po to, by zapobiegać niedoborom witamin i minerałów, a także umożliwić organizmowi przyjmowanie większych dawek substancji odżywczych niż w obecnych typowych dietach ludzi. Dr Binzel i dr Contreras zawsze włączają zestaw multiwitamin do swojego programu leczenia raka.

Daily Complete zawiera składniki wyłącznie pochodzenia roślinnego. 3 gramy specyfiku dostarczają dzienną dawkę 190 witamin, minerałów, antyoksydantów oraz ważnych substancji odżywczych, niezbędnych organizmowi ludzkiemu. Ów naturalny produkt zapewnia wszelkie niezbędne składniki potrzebne chorym poddawanym terapii metabolicznej.

Dodajmy na koniec, iż **Daily Complete** zawiera także fenalginę, jeden z najsilniejszych antyoksydantów na świecie.

Jęczmień (Just Barley® Juice)

Terapia skiełkowanym jęczmieniem ma na celu odtrucie organizmu. Polega ona na kilkakrotnym spożywaniu napoju ze zmiksowanych kiełków w ciągu dnia. Kiełki jęczmienia w postaci napoju są znakomitym źródłem wielu witamin, minerałów i enzymów roślinnych. Kiełki jęczmienia, a także kiełki pszenicy również zawierają witaminę B17, aczkolwiek więcej jej znajduje się w innych roślinach, chociażby nasionach moreli.

Napój z młodego jęczmienia jest sproszkowaną formą czystego, naturalnego soku z młodych liści jęczmienia. **Just Barley** zawiera 16 witamin, 23 minerały, 18 aminokwasów oraz wiele pożytecznych enzymów. Posiada także najbardziej zasadowy odczyn pH ze wszystkich znanych produktów spożywczych, a ponadto zawiera wielkie ilości chlorofilu. Dr Contreras wykorzystuje źródła młodego jęczmienia w swoim programie leczenia raka.

Just Barley wytwarzany jest z selekcjonowanych nasion jęczmienia, uprawianych na wysokości 1600 metrów na terenie dawnego dna jeziora wulkanicznego, którego gleba obfituje w minerały. Uprawy te nawadnia się czystą wodą źródlaną, plony zaś zbierane są wtedy, gdy rośliny zawierają najwięcej substancji odżywczych. Zebrany jęczmień jest natychmiast przetwarzany – odwadnia się go w temperaturze 470°C, by nie stracił własności odżywczych.

Z kolei produkt **Just Barley Green** jest również produktem wyłącznie roślinnym oraz w stu procentach czystym. To czysty ekstrakt z młodego jęczmienia, bez żadnych zagęstników, substancji słodzących i innych dodatków.

Dodatkowe suplementy kuracji
nie są przepisywane rutynowo, lecz zalecane

Maximol /Neways International

Ogromny wzrost liczby zachorowań na raka oraz na inne schorzenia zwyrodnieniowe bierze się z wielkich braków witamin i minerałów w diecie człowieka świata zachodniego. Do zapadania na raka przyczynia się brak aż 817 niezbędnych substancji odżywczych w naszej żywności, zwłaszcza śladowych ilości selenu. Stosunkowo niedawne badania amerykańskie wykazały aż 50% spadek w ilości zgonów na raka oraz 37% spadek zachorowań na nowotwory (szczególnie płuc, okrężnicy i prostaty) wśród grupy 1300 ochotników przyjmujących suplementy diety przez okres 4 lat. [*Daily Mail*, 28 lipca 1998 r., str. 31]

Minerały najlepiej przyjmować w postaci zawiesiny jonowej, wraz z kwasem humusowym – taką postać organizm przyswaja w 98%. To o wiele więcej niż w przypadku minerałów chelatowych (48%) i minerałów metalicznych (10-12%). Nasz organizm potrzebuje minerałów do prawidłowej pracy. Nie potrafi ich sam wytwarzać – stąd muszą znajdować się w żywności, którą spożywamy. Niestety, jak już wcześniej wspomnieliśmy, nasza współczesna dieta pozbawiona jest ogromnej ilości minerałów – a to może skończyć się tylko jednym – zapadnięciem na jedną z ponad 150 chorób spowodowanych niedoborem, które z coraz większą siłą atakują ludność krajów cywilizacji Zachodu.

Suplementy diety złożone z witamin i minerałów nie są jakąś wydumaną modą – są one potrzebne każdemu z nas, mogą dosłownie ocalić nam życie – szczególnie osobom chorym na raka. W tym celu firma Neways stworzyła **Maximol Solutions**, który jest chyba najlepszym zestawem minerałów i witamin w płynie. Zawiera on 67 minerałów podstawowych i śladowych, 17 podstawowych witamin, 21 aminokwasów, trzy enzymy i bakterie kwasu mlekowego. Znakomitą przyswajalność **Maximolu** zapewnia naturalny chelator, dzięki któremu zwierzęta i rośliny przyswajają składniki odżywcze i minerały: organiczny kwas humusowy. Kwas ten bardzo wspomaga transport oraz wchłanianie składników odżywczych i minerałów przez komórki żywe. Dzieje się tak prawdopodobnie dlatego, że ma niewielką masę cząsteczkową, swoisty ładunek elektryczny i dużą bioprzenikliwość. Wspomaga on selektywną wymianę i uzupełnianie minerałów wewnątrz komórki. Ponadto, znakomicie neutralizuje rozmaite zanieczyszczenia – od metali ciężkich i substancji radioaktywnych po produkty naftowe.

Aby zapewnić najlepszą przyswajalność minerałów, trzeba najpierw koloid mineralny przekształcić w mikrokoloid. Dlatego **Maximol** ma postać roztworu mikrokoloidalnego kwasu humusowego. W takiej postaci minerały przyswajane są o wiele lepiej niż suplementy niejonowe, w których cząsteczki są często zbyt duże, by dały się wchłonąć przez komórkę.

44

Revenol /Neways International

Naukowcy twierdzą, że witamina A, C, i E, oraz betakaroten i inne antyoksydanty w postaci bioflawonoidów są bardzo istotne dla zdrowia. Antyoksydanty działają na tym polu ok. 20 x silniej niż witamina C i 50 x niż E. **Revenol** zawiera zestaw antyoksydantów o szerokim spektrum działania. Są to antyoksydanty z kory sosny nadmorskiej (*pinus pinaster*) i w postaci piknogenoli z nasion winogron, przyswajalne w 95% procentach. **Revenol** zawiera również kurkuminoidy – najsilniejsze antyoksydanty w przyrodzie, 150 x silniejsze od witaminy E i 60 x od C, oraz 3 x silniejsze od dwóch wyżej wymienionych antyoksydantów. [Muhammed Majeed, Ph.D. i inni, *Curcuminoids – Antioxidant Phytonutrients*, Nutriscience Publishers, 121 Ethel Road West, Unit 6, Piscataway, NJ 08854, USA]

Revenol zawiera też ginkgo biloba, alfa i betakaroten, estryfikowaną witaminę C – postać witaminy C, która działa silniej i dłużej pozostaje w organizmie (do 3 dni) oraz naturalną witaminę E, lepiej przyswajalną i skuteczniejszą w działaniu. Mikrogranulki produktu przylegają do ścian jelit, przez co organizm trawi 4x więcej składników preparatu niż w przypadku innych produktów.

Tabletka **Revenolu** dostarcza ciału ponad 60 mg kurkuminoidów oraz ekstraktów z kory sosny nadmorskiej i pestek winogron. Biochemicy rosyjscy przeprowadzali niezależne badania nad antyoksydantami i z wyników ich badań przedstawionych Światowej Organizacji Zdrowia wynika, że **Revenol** ma szansę zostać uznanym jako najlepszy antyoksydant na świecie.

Cascading Revenol /Neways International

Neways stworzyła ulepszoną wersję **Revenolu** o nazwie **Cascading Revenol**. Wolne rodniki, które dążą do przyłączenia atomu tlenu, uszkadzają zdrowe komórki i są szczególnie niebezpieczne dla chorych na raka. Uniemożliwiają im to antyoksydanty, np. witamina C. Sęk w tym, że cząsteczki większości antyoksydantów jedynie unieczynnają wolne rodniki, a te mogłyby się jeszcze na coś przydać. Kolejny problem z antyoksydantami jest taki: gdy wolny rodnik zostaje zneutralizowany, powstaje produkt uboczny w postaci... innego wolnego rodnika, co prawda słabszego, który znów trzeba zneutralizować, a wtedy powstaje kolejny wolny rodnik – i tak dalej. Zwykłe antyoksydanty nie radzą sobie z owym efektem "kaskadowym".

Nowoczesna formuła **Cascading Revenol** "regeneruje" cząsteczki antyoksydantów tak, by neutralizowały wiele wolnych rodników – cząsteczka antyoksydantu zawarta w **Cascading Revenol** nie jest jednorazowa, jej działanie jest powtarzane wielokrotnie. Dlatego wartość każdej cząsteczki antyoksydantu rośnie wykładniczo. W ten sposób **Cascading Revenol** chroni organizm chorych na raka, podatny na działanie wolnych rodników. Produkt ten może być wielce wartościowym dodatkiem do każdej terapii metabolicznej przy użyciu B17.

Cassie-Tea /Neways International

Cassie-Tea jest naturalnym środkiem, który pomaga organizmowi usuwać toksyny akumulujące się z wiekiem. Zawiera następujące składniki: korzeń rzewienia dłoniastego, in. rabarbaru dłoniastego (*Rheum sinense*) – poprawia on pracę wątroby i kondycję jelit; szczaw polny i łopian – dobrze wpływające na jakość krwi i krwiobieg; oraz wiąz z gatunku *Ulmus rubra*, który łagodzi podrażnienie błon śluzowych, a także przywraca właściwą wilgotność błonom układu oddechowego.

Cassie-Tea jest tym samym co słynny Essiac. Kanadyjska pielęgniarka Rene Cassie przez 60 lat leczyła chorych na raka ziołowym naparem, używanym przez Indian z plemienia Odżibwejów. W 1937 kanadyjska Królewska Komisja Onkologiczna (Royal Cancer Commission) przeprowadziła śledztwo w sprawie Essiacu (anagram nazwiska "Cassie") i uznała, że specyfik ten ma działanie przeciwrakowe. Tom Mower, prezes firmy Neways pozyskał przepis na **Cassie-Tea** od osób, które przygotowywały mieszankę dla pielęgniarki. **Cassie-Tea** jest znakomitym suplementem diety dla pacjentów poddawanych terapii metabolicznej przy użyciu witaminy B17.

Hawaiian Noni Juice /Neways International

Sok ze słynnych owoców noni (*Morinda citrifolia*) zawiera działającą przeciwrakowo substancję obfitą w polisacharydy, co udowodniły najnowsze badania, które przeprowadzano na University of Hawaii. Dostarczyły one niepodważalnych dowodów na pozytywne działanie soku z noni w leczeniu raka. **Authentic Hawaiian Noni** firmy Neways zapewnia pełne działanie naturalnego soku noni oraz zawiera silne antyoksydanty w postaci ekstraktów z malin i borówek. [A. Hirazumi i Furusawa Eiichi, *An Immunomodulatory Polysaccharide-Rich Substance from the Fruit Juice of Morinda citrifolia (Noni) with*

Antitumour Activity, Dept. of Pharmacology, John A. Burns School of Medicine, Hawaje, HI 96822, USA]

Purge / Feelin' Good /Neways International

Naukowcy twierdzą, iż większość chorych na raka nosi w sobie pasożyty. Pasożyty są jak dzicy lokatorzy – zamieszkują w organizmie ludzkim i "nie płacą czynszu". Mogą nimi być maleńkie ameby, widoczne tylko okiem uzbrojonym w mikroskop, jak i długie na całe metry tasiemce.

Człowiek może nabawić się pasożytów w różny sposób, w czasie wykonywania codziennych zajęć lub spożywając niedogotowaną bądź skażoną biologicznie żywność. Na przykład przywry żylne (*Schistosoma haematobium*) dostają się do ciała wraz z zanieczyszczoną wodą pitną, po czym zagnieżdżają się w pęcherzu, jelitach, wątrobie, płucach, odbycie i śledzionie, gdzie mogą rozmnażać się nawet przez 20 lat. Włośnie (*Trichinella spiralis*) z kolei biorą się z niedogotowanej wieprzowiny – z jelit przenikają do układu krwionośnego i limfatycznego, po czym zagnieżdżają się w mięśniach. Owsiki natomiast dostają się przez skórę z gleby, a potem z układu krwionośnego mogą przejść do płuc, co czasem wywołuje ich zapalenie.

Pasożyty eliminuje się w praktyce w trzech etapach – należy je zabić, usunąć z organizmu, a następnie dostarczyć mu zdrowych substancji odżywczych, by wrócił do stanu optymalnego. Firma Neways stworzyła taki trójfazowy program, w którym stosuje się kolejno produkty **Purge, Feelin' Good** oraz **Maximol Solutions** – **Purge** zabija pasożyty, **Feelin' Good** pomaga usunąć je z ciała, zaś **Maximol** – co najważniejsze – uzdrawia ciało i wzmacnia je, by stało się odporne na kolejny atak.

Sulfotlenek dimetylu (DMSO)

DMSO jest produktem ubocznym powstającym w procesach przetwórczych stosowanych w przemyśle drzewnym i papierniczym. Ostatnimi czasy zasłynął jako skuteczny środek przeciwko opryszczce, rakowi oraz innym schorzeniom. Bardzo dobrze wchłania się w tkanki i wspomaga procesy komórkowe. W swej książce *DMSO: The New Healing Power* dr Morton Walker opisuje jak DMSO zmniejsza ból, łagodzi stany zapalne, zabija bakterie i grzyby, redukuje ryzyko powstawania zakrzepów, poprawia krążenie, neutralizuje wolne rodniki, stymuluje układ odpornościowy oraz przyspiesza gojenie ran. DMSO wykorzystuje się powszechnie – od leczenia skaleczeń i opryszczki po ukąszeń insektów, kontuzji, bólów artretycznych oraz raka.

DMSO znakomicie przenika do krwi i tkanek mózgowych. Podaje się go dożylnie wraz z witaminą B17, by mogła przenikać głęboko do tkanek, nie zmieniając ich chemii. Część klinik wykorzystuje go przy leczeniu wszelkich odmian raka, aczkolwiek lekarze wolą go nie stosować w przypadkach schorzeń wątroby i nerek.

Większość lekarzy dawkuje DMSO następująco:

Dożylnie: 3 do 5 ml DMSO na każde 10 ml B17, strzykawką 30 ml. 3 gramowa fiolka B17 ma objętość 10 ml. 2 fiolki B17 miesza się z 6 do 10 ml DMSO w strzykawce o objętości 30 ml.

Domiejscowo: Lekarze zalecają pacjentom roztwór w proporcjach 42 ml DMSO w 18 ml czystej wody, w pojemniku szklanym (koniecznie szklanym –nie może być z tworzywa sztucznego!). Na miękką skórę nakłada się 1 łyżeczkę DMSO, przy pomocy waty naturalnej (bawełnianej), 2-3 razy dziennie. Po 10 minutach miejsce należy opłukać. DMSO można stosować wokół chorego miejsca.

Większość pacjentów uważa, że czosnkowy zapach DMSO jest niewielką ceną jaką przyjdzie im zapłacić za jego dobroczynne działanie.

Opis terapii metabolicznej witaminą B17

UWAGA: Poniższe informacje podano na podstawie programów leczenia stosowanych w klinikach terapii raka na świecie. Wielu specjalistów z dziedziny alternatywnego leczenia nowotworów uważa, że terapie te są najskuteczniejszymi sposobami leczenia oraz zapobiegania nowotworom zarówno u ludzi jak i u zwierząt.

Opisy podano jedynie w celu informacyjnym – Czytelnik może stosować się do nich wyłącznie na własną odpowiedzialność, natomiast w kwestii leczenia raka powinien zawsze zasięgnąć fachowej opinii lekarskiej.

Jeśli masz raka, to najprościej będzie rozważyć przyjęcie jak największej ilości witaminy B17 w możliwie jak najkrótszym czasie.

dr Ernest T. Krebs, jr

Terapia metaboliczna, mówiąc wprost, polega na leczeniu nowotworów i profilaktyce poprzez wzmocnienie układu odpornościowego przy pomocy naturalnych produktów spożywczych oraz witamin. Kluczem do pokonania raka nie wydają się być terapie tradycyjne – chemio, radioterapia oraz chirurgia onkologiczna – lecz terapie, które wspomagają organizm, a nie wyniszczają go.

Gdy organizm zostanie oczyszczony z substancji nienaturalnych (detoksyfikacja) i poddany działaniu witamin, które wzmacniają jego odporność, otrzymuje enzymy, które rozpuszczają otoczkę białkową chroniącą komórki nowotworowe przed działaniem układu odpornościowego. Aby wspomóc pracę gruczołów, podaje się organizmowi surowe produkty gruczołowe. Następnie pacjentowi podaje się witaminy B17 (letril) oraz A, by wraz z enzymami i układem odpornościowym zniszczyły komórki nowotworowe.

Z początku letril uważano za substancję pozbawioną jakiejkolwiek wartości – owszem jest bezużyteczny, jeżeli stosuje się go bez innych substancji. Jednakże w terapii metabolicznej współpracuje on z innymi witaminami, enzymami i układem odpornościowym, aby zniszczyć wstępnie osłabionego raka.

dr Harold W. Manner

Terapia metaboliczna jest zalecana przez wielu lekarzy, w tym i doktorów Ernesto i Francisco Contrerasów, dwóch najsłynniejszych i najskuteczniejszych specjalistów leczenia raka na świecie. W ciągu 34 lat zespół badawczy Contrerasa przetestował ponad 75 różnych rodzajów terapii przeciwrakowych i leczył ponad 100 tysięcy pacjentów. Zespół ten nadal pracuje nad terapiami, by były zarazem najskuteczniejsze i najłagodniejsze dla chorych.

49

TERAPIA I PROCEDURY
(terapia metaboliczna witaminą B17)

Faza 1: Pierwsze 21 dni leczenia

Faza pierwsza trwa 21 dni, podczas których chorym podaje się B17 dożylnie, czasem w połączeniu z DMSO i silnymi dawkami witaminy C. Częstokroć w leczeniu domowym, gdy zastrzyki z letrilu są niedostępne, używa się 500 miligramowych tabletek B17, podawanych jednocześnie z nasionami moreli. Leczenie w fazie pierwszej uzupełnia się enzymami trzustki, witaminą C, antyoksydantami, zemulsyfikowanymi witaminami A i E, sproszkowanymi pędami jęczmienia, chrząstką rekina (o 100% czystości), multiwitaminą, kwasem pangamowym (wit. B15), AHCC oraz produktami żywnościowymi zawierającymi B17 (np. nasionami moreli). Dodatkowo organizm zostaje poddany rygorystycznej detoksyfikacji i uzupełnieniu diety.

Faza 2: Kolejne 3 miesiące

W trakcie fazy drugiej podaje się witaminę B17 / amigdalinę w tabletkach, nasiona moreli, enzymy, witaminę A, C, i E, chrząstkę rekina oraz kontynuuje detoksyfikację oraz uzupełnianie diety rozpoczęte w fazie pierwszej.

Opis terapii

Faza 1: Zestaw specyfików na pierwsze 21 dni leczenia
W dwóch różnych programach: dożylnym i doustnym.

FAZA 1 – DOŻYLNIE (dawki zalecane przez dr. Ernesto i Francisco Contrerasów ze szpitala Oasis of Hope)

Witamina B17 / amigdalina w ampułkach, podawana przez wykwalifikowany personel lekarski. Skład programu:

- witamina B17 w ampułkach: 2 ampułki (fiolki) podawane powoli dożylnie lub do wlewu raz dziennie (strzykawka 30 cm sześciennych).
- witamina B15 (kwas pangamowy): kapsułka 3x dziennie bezpośrednio po posiłku.

50

- Preven–Ca w kapsułkach (antyoksydanty i zioła): jedna kapsułka do posiłku.
- Megazyme Forte, enzymy w tabletkach: trzy tabletki 2 godziny po posiłku (9 dziennie).
- witamina C estryfikowana: jedna kapsułka do posiłku.
- witamina A i E w emulsji: 5 kropli do szklanki soku lub wody, trzy razy dziennie.
- sok Just BarleyGreen (suplement diety): 1 łyżeczka do szklanki soku, 3x dziennie.
- chrząstka rekina: trzy tabletki do posiłku (9 dziennie).
- witamina E: jedna kapsułka żelowa do obiadu, jedna do kolacji.
- AHCC: dwie kapsułki do każdego posiłku.
- Daily Complete, multiwitamina w płynie: 2 łyżki stołowe raz dziennie, do posiłku.
- nasiona moreli: 1 nasiono na 4,5 kg masy ciała. Nie więcej niż 6 na godzinę lub 30–35 dziennie.

Nie uwzględniono w opisie powyższym dożylnego podawania DMSO (sulfotlenku dimetylu) niektórzy lekarze podają go wraz z B17, by podnieść jej stopień wchłaniania się przez tkanki.

FAZA 1 – DOUSTNIE

Amigdalinę dożylną zastępują tu 500 miligramowe tabletki. Dr Contreras zaleca 2 tabletki do posiłku, czyli po 6 dziennie. Poza tym faza pierwsza w wersji doustnej zawiera te same składniki, co dożylna. Można ją stosować w domu.

- witamina B17 w tabletkach 500 mg: po 2 tabletki 3x dziennie, do każdego posiłku. Najczęściej stosowana w tej postaci – tabletka zawiera 500 mg letrilu. Jeżeli tabletki są zbyt duże do przełknięcia, można je podzielić i spożyć z posiłkiem. Jeżeli występują zaburzenia pracy układu trawiennego, dawkę należy ograniczyć do 1 tabletki 6x dziennie. Jeżeli tabletki powodują mdłości, należy podzielić je na pół i przyjmować połówkę co godzinę w czasie dnia. Witaminy nie należy brać na czczo.
- witamina B15 (kwas pangamowy): kapsułka 3x dziennie bezpośrednio po posiłku.

51

- Preven–Ca w kapsułkach (antyoksydanty i zioła): jedna kapsułka do posiłku.
- Megazyme Forte, enzymy w tabletkach: trzy tabletki 2 godziny po posiłku (9 dziennie).
- witamina C zestryfikowana: jedna kapsułka do posiłku.
- witamina A i E w emulsji: 5 kropli do szklanki soku lub wody, 3x dziennie.
- sok Just BarleyGreen (suplement diety): 1 łyżeczka do szklanki soku, trzy razy dziennie.
- chrząstka rekina: trzy tabletki do posiłku (9 dziennie).
- witamina E: jedna kapsułka żelowa do obiadu, jedna do kolacji.
- AHCC: dwie kapsułki do każdego posiłku.
- Daily Complete, multiwitamina w płynie: 2 łyżki stołowe raz dziennie, do posiłku.
- nasiona moreli: 1 nasiono na 4,5 kg masy ciała. Nie więcej niż 6 na godzinę lub 30–35 dziennie.

Po Fazie 1...

FAZA 2 – ZESTAW specyfików na kolejne 3 miesiące

Na zestaw ten składają się witamina B17 w tabletkach 500 mg oraz wszystko to, co podaje się w fazie 1. Zmieniają się jedynie dawki B17 oraz witaminy A i E w emulsji:

- witamina B17 w tabletkach 500 mg: tabletka do każdego posiłku, oraz jedną przed snem.
- witamina A i E w emulsji: 10 kropli w soku lub wodzie 2x dziennie.

Koszty terapii: ok. 1200 – 1500 złotych w przypadku fazy 1, w przypadku 2. – 4000 – 6000 złotych. (Oszacowano na podstawie cen specyfików dostępnych w sklepach internetowych wg kursów wymiany z początków 2008 r.)

Większość producentów sprzedaje wspomniane składniki terapii oddzielnie. Prosimy pamiętać o tym, że firmy te nie są uprawnione do świadczenia porad w zakresie leczenia ani też informowania o tym, jak stosować ich produkty w leczeniu. Produkty te traktowane są jako profilaktyczne suplementy diety, uzupełniające żywienie.

Profilaktyczne dawki pochorobowe

Wg książki *The Physician's Handbook of Vitamin B17 Therapy* [Podręcznik terapii witaminą B17 dla lekarzy]

W podręczniku dr Krebs twierdzi, że średnia dawka całkowita, która pozwala na opanowanie średnio zaawansowanego raka wynosi ponad 300 gramów B17. Pełna reakcja na leczenie amigdaliną pojawia się w okresie 4 miesięcy, czasem po ponad roku. Jeżeli rak zareaguje standardowo w ciągu pierwszych trzech tygodni, dawkę można zmniejszyć lub zmienić program leczenia klinicznego, dla większego komfortu pacjenta.

Ciężkie przypadki raka, którego udało się opanować, można hamować przed dalszym rozwojem, przyjmując doustnie 1 gram witaminy B17 dziennie. Jednakże niektórzy pacjenci uważają, że czują się "bezpieczniej", biorąc od 1,5 do 2 gramów dziennie. Dawkę określa się na podstawie samopoczucia pacjenta, stopnia w jakim odzyskuje siłę fizyczną, apetyt, wagę ciała oraz poprawy stanu psychicznego: spadku niepokoju i nerwowości oraz przejawów relatywnie optymistycznego nastroju i zainteresowania otoczeniem.

Sytuacje naruszające równowagę organizmu, stres bądź choroba, mogą u niektórych pacjentów doprowadzić do nawrotu rozwoju raka. Lekarz prowadzący leczenie nowotworu u pacjentów, u których powstrzymano rozwój raka, powinien być tego świadomy. Jeżeli chorobę udaje się opanować przez okres dłuższy niż 2 lata, zaś u pacjenta stwierdza się obiektywnie poprawę zdrowia – przyrost masy, zwiększoną siłą fizyczną, powrót do normalnych czynności codziennych, ujemne testy na obecność hCG w moczu oraz inne, poprawne wyniki badań, dawkę profilaktyczną pochorobową witaminy B17 można obniżyć do 500 miligramów dziennie.

Typowa terapia pomocnicza

Co trzeba wyeliminować koniecznie

Długotrwałe, przewlekłe zaparcia mogą przyczyniać się do powstawania niektórych rodzajów raka. Zaparciom należy zapobiegać bezwzględnie. Zamiast środków przeczyszczających i rozluźniających powinno spożywać się dużo błonnika w posiłkach.

Połączone metody leczenia raka

Wszelkie formy promieniowania mogą w pewnym stopniu zmniejszyć guzy łagodne i złośliwe. Wiele środków chemicznych stosowanych w chemioterapii raka działa w podobny sposób. Niestety, zwalczanie guzów chemią i naświetlaniem odbywa się również kosztem komórek somatycznych – zwłaszcza tych najprostszych, odpowiedzialnych za naprawę organizmu. Wiele guzów łagodnych jest bardzo wrażliwych na promieniowanie, zaś nabłoniak kosmówkowy i inne, równie złośliwe nowotwory są z kolei odporne na promieniowanie – dlatego naświetlanie ich może zwiększyć ilość komórek złośliwych w guzie nowotworowym, przez co wskaźnik wielkości obrzmienia staje się niepewnym i błędnym wskazaniem stopnia sukcesu leczenia.

Chirurgia onkologiczna bardzo często ratuje chorych na raka. To właśnie dzięki niej usuwa się zatory, naprawia przetoki, hamuje krwotoki, odbudowuje uszkodzoną tkankę, itd.

Jeżeli raka udaje się usunąć chirurgicznie, jak np. w przypadku wczesnego stadium raka macicy (przed przerzutami), zdrowie i życie pacjenta są uratowane. Podobnie jest w przypadku zabiegów chirurgicznych, gdzie usuwa się przedrakowe hiperplazje, polipy, zmiany skórne, brodawki, zrogowaciałą skórę, zrogowacenia białe, itp. Przy rozsądnej skali zabiegach chirurgicznych terapia witaminą B17 i enzymami proteolitycznymi nie jest przeciwwskazana, a wręcz zalecana przed operacją.

Nowotwory płucne są najmniej odporne na leczenie witaminą B17 i enzymami proteolitycznymi, dlatego w ich przypadku zaleca się powyższą kombinację terapii.

Należy unikać naświetlań i cytotoksyn radiomimetycznych (poza przypadkami zmian skórnych lub podskórnych), z powodu ich szkodliwego działania, szczególnie dla układu odpornościowego.

Witaminę B17 i enzymy proteolityczne można łączyć z chirurgią, naświetlaniem i cytotoksynami bez żadnych przeciwwskazań.

Światło

Badacze zajmujący się wpływem rozmaitych rodzajów światła i ich źródeł twierdzą, że sztuczne światło przyspiesza tempo rozwoju guzów nowotworowych u zwierząt i prawdopodobnie stymuluje raka u ludzi. Pacjenci chorzy na raka powinni unikać długotrwałego przebywania w świetle sztucznym – oprócz świateł o pełnym spektrum, a także powinni przebywać codziennie kilka godzin na świetle słonecznym, bez okularów.

Długość życia zwierząt laboratoryjnych z guzami nowotworowymi, a także ludzi chorych na raka zwiększa się znacznie, jeżeli przebywają w oświetleniu o pełnym spektrum – czyli świetle słonecznym, niefiltrowanym przez szyby, czy to w budynkach, pojazdach, okularach (również przeciwsłonecznych) bądź przez soczewki kontaktowe. (Światło ultrafioletowe działa szczególnie dobroczynnie, lecz zwykłe szkła i plastiki go nie przepuszczają.)

Higiena

1. Nie należy palić tytoniu i unikać biernego palenia.
2. Nie pić napojów alkoholowych ani napojów słodzonych.
3. Unikać płynów do trwałych fryzur, lakierów do włosów, kosmetyków sztucznych, szminek wyprodukowanych z barwników na bazie smołowo-węglowej i antyperspirantów.
4. Telewizja, monitory komputerowe CRT (kineskopowe): jeśli się da, unikać. Niewielkie dawki promieniowania rentgenowskiego powodują nadmierną aktywność komórek roślin i zwierząt (a następnie ich wyczerpanie, na co wskazuje spadek aktywności poniżej normy). Chorzy na raka powinni unikać nawet najmniejszych dawek promieniowania rentgenowskiego.
5. Zaleca się odpowiednie ilości snu.
6. Zwiększyć natlenienie organizmu (witamina B15), w tym i ćwiczenia fizyczne na świeżym powietrzu, najlepiej na słońcu, z dala od spalin samochodowych i innych miejsc z zanieczyszczonym powietrzem. Na słońcu nie nosić okularów, szkieł, oraz okularów przeciwsłonecznych.
7. Jelita należy wypróżniać przynajmniej raz dziennie.
8. Zaleca się codzienną, ciepłą kąpiel – poprawia krążenie.

Dieta

Poniższa dieta winna być przestrzegana ściśle przez pierwsze 3-4 miesiące terapii. Można ją stopniowo łagodzić w miarę poprawy zdrowia.

Dieta powinna składać się niemalże wyłącznie ze świeżych owoców, warzyw, oraz sporządzonych z nich świeżych soków. Należy ograniczyć mięso wyłącznie do świeżych ryb. Czasami można spożywać drób, przyrządzony bez soli i tłuszczu. Drób musi być czysty biologicznie, tj. nie traktowany hormonami ani chory na infekcje wirusowe lub bakteryjne. Pacjent powinien również wziąć pod uwagę poniższe zalecenia co do składników menu.

ŻYWNOŚĆ ROŚLINNA: Zaleca się wszystkie owoce i rośliny jadalne – byle były świeże i surowe. Niektóre produkty trzeba ugotować, lecz delikatnie – wystarczy, by stały się jadalne. Szybkie i rozsądne gotowanie potraw, przez krótki czas i w niskiej temperaturze (jak np. w chińskich restauracjach) nie niszczy enzymów zawartych w produktach żywnościowych. Owoce i warzywa nie powinny być opryskiwane ani zawierać konserwantów. Kiełki są znakomitym elementem diety dla chorych na nowotwory. Zaleca się również produkty pełnoziarniste – unikać za to należy wyrobów z białej mąki.

ŻYWNOŚĆ POCHODZENIA ZWIERZĘCEGO: Ryby i drób należy piec, gotować lub opiekać (nie wolno ich smażyć) bez tłuszczu i soli. Unikać innych mięs.

UŻYWKI: Można pić niewielkie ilości kawy i herbaty – niesłodzonych cukrem, ani miodem, ani słodzikami, choć w zasadzie najlepiej unikać obu tych napojów. Można pić herbaty ziołowe. Tytoń jest surowo zabroniony.
Należy bezwzględnie unikać wszelkich produktów zawierających cukier oraz samego cukru. Przeciętny człowiek spożywa w ciągu roku tyle cukru, ile sam waży. Bezwzględnie unikać sztucznych słodzików!

SUPLEMENTY: Zaleca się rozsądne ilości witamin i soli mineralnych. Suplementy takie powinny zawierać wszelkie dostępne witaminy i minerały występujące w naturalnej żywności.
Co prawda dieta ta zawiera wystarczającą ilość błonnika, w wielu przypadkach powinno zwiększać się jego ilość, przyjmując 2 do 4 łyżeczek otrębów. Można dodawać je do żywności lub soków.

Należy stanowczo unikać wszelkiej żywności, na którą chory jest wrażliwy, natomiast otręby powinno brać się po konsultacji z lekarzem lub dietetykiem.

Organizm ludzki instynktownie potrzebuje świeżych, surowych owoców i warzyw oraz ich soków, zaś u chorych na raka powinny stanowić podstawę diety.

Podsumowanie
- unikać żywności mrożonej i konserwowej
- unikać żywności zawierającej konserwanty, barwniki lub dodatki chemiczne
- nie jeść produktów z białej mąki, z solą lub rafinowanym cukrem
- unikać wszelkich mięs czerwonych – baraniny, wołowiny, wieprzowiny, w tym i boczku, szynek itp. (owszem, to trudne, lecz znakomicie poprawia samopoczucie!); unikać przetworów mlecznych
- jeść dużo naturalnej żywności: owoców, warzyw oraz pić dużo wyciskanych z nich soków
- pić od sześciu do ośmiu szklanek wody dziennie (poza innymi płynami), lecz się nie zmuszać; rzecz jasna, woda musi być jak najczystsza
- unikać wszelkich toksyn – szczególnie tytoniu i alkoholu; nie zaleca się kawy, chemicznych środków uspokajających i przeciwbólowych
- zaleca się dużo wypoczynku, zaś podczas ćwiczeń fizycznych nie należy nadwerężać narządów dotkniętych nowotworem, co zresztą wydaje się oczywiste.

Rola pozytywnego myślenia

Aspekt fizyczny

Pozytywne myślenie ma ogromny wpływ na wzmocnienie układu odpornościowego – jego wpływ widać po zmianach w poziomach białek osocza, produkcji przeciwciał oraz ogólnej zdolności ciała do obrony. Pacjenci powinni wiedzieć, iż ich ciała potrzebują pozytywnego myślenia.

Na wynik terapii ma ogromny wpływ współpraca pacjenta – jego stosunek do diety i higieny, przyjmowania witaminy B17 i enzymów, badań kontrolnych oraz pozytywnego myślenia. Jeżeli zaś pacjent nie chce współpracować np. paląc, pijąc lub narażając się na wpływ czynników rakotwórczych, należy wprost i stanowczo potępić taką postawę.

Postawa negatywna, typowa dla większości chorych na raka przed poddaniem się terapii witaminą B17, jest jedną z rzeczy, która ulega zmianie podczas terapii. Trwała postawa negatywna pacjenta oraz brak postępów w leczeniu mogą oznaczać, iż dawki witaminy są zbyt rzadkie i zbyt niskie.

Aspekt psychologiczny

Umysł, emocje i podejście pacjenta mają ogromny wpływ na rozwój choroby, w tym i raka, oraz reakcji jego organizmu na każdą metodę leczenia.

dr O. Carl Simonton
major USAF (Sił Powietrznych USA)

Wystąpienie choroby nowotworowej może wiązać się z wieloma trudnymi sytuacjami napotykanymi w życiu – towarzyskimi, głębokimi przeżyciami wewnętrznymi, szczególnie ostrym spadkiem samooceny i poczucia własnej wartości, sensu istnienia itp. Przyczyny tego mogą być różne – porażki zawodowe, towarzyskie, bolesne straty osobiste, śmierć bliskich bądź rozwód. Rak w takim kontekście może stać się u chorego ze skłonnościami autodestruktywnymi swoistą "formą samobójstwa akceptowanego społecznie".

Negatywne myślenie, postawa autodestrukcyjna to coś, czym powinien zająć się lekarz – on powinien powiedzieć choremu z autodestruktywnymi skłonnościami, że prawdopodobnie wykorzystuje swą chorobę, by osiągnąć jakiś podświadomy cel. Dlatego myśli i zachowanie takiej osoby pozostają negatywne, nawet jeżeli terapia daje wyniki.

Pacjenci i ich rodziny powinny być zachęcane do interesowania się rzeczami niezwiązanymi z chorobą. Większość osób leczonych z raka terapią witaminą B17 tak robi, bowiem nie muszą oni znosić ciągłego bólu i innych symptomów choroby nowotworowej.

Kryteria oceny leczenia klinicznego

1. Ustąpienie bólu, czego oznaką jest np. zmniejszenie dawek i częstotliwości podawania narkotyków i środków przeciwbólowych
2. Poprawa samopoczucia
3. Zwiększony apetyt
4. Zanik odoru pochodzącego ze zmian nowotworowych
5. Zwiększona energia i wytrzymałość
6. Przyrost masy ciała
7. Wzrost siły mięśni
8. Korzystne zmiany w chemii krwi i moczu
9. Poprawiona regeneracja tkanek
10. Zmniejszenie się obrzęków
11. Spadek ilości gonadotropiny kosmówkowej w osoczu i moczu

12. Nawrót objawów nowotworowych po użyciu placebo lub po przerwaniu leczenia

13. Remisja objawów po powrocie do leczenia

Inne ciekawe:

Uwagi o zachowaniu się guzów nowotworowych pod wpływem działania witaminy B17

PRZERZUTY KOSTNE: na zdjęciach rentgenowskich to jasne obszary z rozmytymi krawędziami. Po kilku miesiącach stosowania amigdaliny z wapniem pojawiają się wokół nich wyraźne otoczki. Otoczki te, widoczne na zdjęciach rentgenowskich uważa się za nawapnianie guza, które można śledzić przy pomocy kolejnych prześwietleń. Defekt kości wypełnia się w ciągu 5-8 miesięcy. (Nieper, Konferencja w Lanpar, maj 1973)

UTAJONE ZMIANY W PŁUCACH: w ciągu pierwszych 8 tygodni terapii witaminą B17 zmiany te stają się widoczne na zdjęciach rentgenowskich. Towarzyszące objawy, czyli przyrost masy ciała, wzrost siły fizycznej oraz poprawa samopoczucia wskazują, że są często wynikiem fibroplazji, a nie rozwojem guza – to znak, że zachodzi ogólna poprawa stanu zdrowia chorego.

Witamina B17 a anemia sierpowata

Eksperymenty i badania kliniczne wykazały skuteczność leczenia anemii sierpowatej witaminą B17. Tiocyjanian, pośredni produkt metabolizmu witaminy B17 jest uważny za aktywny czynnik w leczeniu tej przypadłości. Zalecana dawka witaminy w tym przypadku wynosi 50-100 mg dla dzieci oraz 250-500 mg dla dorosłego dziennie.

Rak a fluorowanie wody

Badania oparte na danych zdrowotnych U.S. Vital Statistics, w których porównano ośrodki miejskie z wodą fluoryzowaną i wodą niefluoryzowaną wskazują wyraźnie, iż ilość śmiertelnych przypadków raka rośnie wyraźnie w ciągu dwóch pierwszych lat stosowania fluorowania wody pitnej. Fluorowanie powoduje wzrost ilości przypadków raka następujących organów:

Jama ustna – 15%
Przełyk – 48%
Żołądek – 22%
Jelito grube – 31%
Odbyt – 51%
Nerki – 10%
Pęcherz i układ moczowy – 22%
Piersi – 15%
Jajniki i jajowody – 15%

Pacjenci cierpiący na nowotwory powyższych narządów nie powinni pić wody fluorowanej ani wykorzystywać jej do przyrządzania potraw. Muszą ją zastąpić wodą destylowaną lub mineralną.

Żywność zawierająca B17 (nitrilozydy)

Witamina B17 występuje obficie w naturze, zwłaszcza w roślinach dziko rosnących. Ponieważ jest ona gorzka w smaku, człowiek próbował ulepszać gatunki by go poprawić i eliminował gorzkie owoce przez odpowiedni dobór i krzyżowanie. Mimo to można przyjąć, iż sporo z "poprawionej" w ten sposób żywności zawiera dość dużo witaminy B17 zwłaszcza w częściach nie spożywanych przez człowieka współczesnego, jak np. nasiona moreli. Poniżej podajemy przykłady niektórych powszechnie dostępnych owoców i nasion wraz z szacunkową oceną zawartości amigdaliny. Należy wziąć pod uwagę, że ilości amigdaliny mogą wahać się w zależności od miejsca, gleby oraz klimatu.

Podane za: *Mała Cyjankowa Książka Kucharska*, autorstwa June de Spain (byłej specjalistki toksykologii i farmakologii FDA).

OWOCE	ZAWARTOŚĆ NITRILOZYDÓW
czarna jagoda	●
czarna jagoda dzika	● ● ●
jeżyna popielica	● ●
czeremcha wirginijska	● ● ●
owoce z dzikiej jabłoni	● ● ●
żurawina	●
borówka brusznica	● ● ●
porzeczka	● ●
jagoda czarnego bzu	● ● / ● ● ●
agrest	● ●
czarna jagoda ameryk.	● ●
loganberry	● ●
morwa	● ●
pigwa	● ●
truskawka	● ●
malina	● ●

ZIARNA	
czarna fasola	●
fasolnik chiński	●
bób	● ● ●
ciecierzyca pospolita	● / ● ●
zielony groszek	●
soczewica	● ●
fasola lima	●
fasola lima, burma	● ●
fasola mung	● ● / ● ● ●
fasola	● / ● ●

ORZECHY (tylko dzikie)	
gorzki orzech	● ● ●
orzech nerkowca	●
orzech macadamii	● ● / ● ● ●

NASIONA	ZAWARTOŚĆ NITRILOZYDÓW
jabłka – pestki	● ● ●
morele – pestki	● ● ●
gryka	● ●
wiśnie – pestki	● ● ●
len	● ●
proso	● ●
nektarynki – pestki	● ● ●
brzoskwinie – pestki	● ● ●
gruszki – pestki	● ● ●
śliwki – pestki	● ● ●
kabaczek – pestki	● ●

BULWY	
maniok	● ● ●
batat	●
jams, pochrzyn	●

KIEŁKI	
alfalfa	● ●
bambus	● ● ●
bób	● ●
ciecierzycy	● ●
fasoli mung	● ●

LIŚCIE	
alfalfa	● ● ●
buraków	●
eukaliptusa	● ● ●
szpinaku	●
rzeżuchy	●

Zawartość nitrilozydów w 100 g

● ● ●   duża > 500 mg
● ●   średnia ~ 100 mg
●   mała < 100 mg

61

Niektóre adresy internetowe, pod którymi można znaleźć suplementy do kuracji metabolicznej

B17 (Amigdalina)
Amygdalin Inyectable Solution
Amygdalin Inyectable Powder
Amygdalin Tablets 100 mg oraz 500 mg

- http://www.cytopharmaonline.com/shop/features.asp

a także:

- http://www.urcancercure.com/
- herbaloptions.com
- http://cancerchoices.com/apricot.htm
- http://www.cytopharma.com/
- http://www.sunorganic.com/
- http://www.amygdalin.co.uk
- http://www.tjsupply.com
- http://www.fsmarketplace.co.uk/cancerremedies
- http://www.apricotkernels.org
- http://www.laetrile.com.au/
- http://home.bluegrass.net/~jclark/vitamin_b17.htm
- http://www.puttingitright.com.au
- http://www.bluegrass.net/~carrie73/apricot_seeds.htm
- http://nature-healing.com
- http://www.apricotseeds.org/
- http://www.apricotpower.com/
- http://www.vitasunn.co.uk
- http://www.apricot-kernels.com.au
- http://www.vitaminb17.de
- http://www.apricotkerneloilaustralia.com.au/

B15 / Dimethylglycine DMG

Sprzedawany również jako DMG – Dimetyloglicyna. DMG jest aminokwasem występującym w komórkach roślin i zwierząt.

- http://www.worldwideshoppingmall.co.uk/body-soul /dimethylglycine-b15.asp
- http://healthgenesis.stores.yahoo.net/b1510025.html

Pancreatic Enzymes Univase Forte 200 Capsules

- http://www.cytopharmaonline.com/shop/features.asp

Megazyme Forte

- http://www.cantron.com/html/nutraceuticals/megazyme.html
- http://healthgenesis.stores.yahoo.net/zyme48.html

Vobenzym

- http://www.mucos.cz/mucos-en/our-preparations/tabid/494/Default.aspx
- http://healthgenesis.stores.yahoo.net/wobe40.html

Vitamin C Esterfied 500mg

- http://www.quantumhealth.com/productgroups/vit_c500.html
- http://www.olimplab.pl

Produkty firmy NEWAYS International

- na rynku polskim działa przedstawiciel firmy NEWAYS:
  http://www.naturalife.pl

Witamina A

- http://www.naturalhealthconsult.com/Monographs/vitaminA.html
- http://www.lef.org/newshop/items/item00294.html
- http://credencegroup.co.uk/zen/index.php?main_page=product_info&cPath=2&products_id=32

Just Barley Juice

- http://www.nextag.com/barley-green-juice-powder/search-html
- http://www.herbs4healing.com/Just_Barley/just_barley.html

Chrząstka rekina

- http://www.evitamins.com/product.asp?pid=6647
- http://healthgenesis.stores.yahoo.net/cart68.html

AHCC

- http://ahcc-nutrients.com/Merchant2/merchant.mvc?

PrevenCa

- http://healthgenesis.stores.yahoo.net/preca28.html

DMSO

- http://www.dmso.com/products.php

Daily Complete

- http://www.apricotpower.com/store/item-details.asp?id=417
- http://www.sfd.pl/sklep/Ultimate_Nutrition_Daily_Complete_Formula_
  witaminy_i_minera%C5%82y_na_ca%C5%82y_ miesi%C4%85c_-
  opis441.html

UWAGA!

Powyższe adresy podano jedynie w celach informacyjnych. Nie możemy odpowiadać ani za ich jakość, jak i skuteczność. Należy skonsultować ich użycie i stosowanie z lekarzem stosującym kurację metaboliczną w praktyce.

Kilka słów o medycynie, bakteriach
oraz grzybach

1.

Tak się jakoś składa, że w ferworze walki z chorobami współczesna medycyna dość często gubi z oczu fakt, iż każdy człowiek jest niezależną **całością**, a nie mechanizmem złożonym z oddzielnych organów, które w przypadkach niedomagania należy „naprawiać".

Współczesna medycyna królująca w krajach cywilizacji zachodniej niechętnie czerpie z wiedzy innych kultur, które w przeciwieństwie do niej nie odcięły się od swojej dawnej wiedzy medycznej – wręcz przeciwnie kultywują ją, uzupełniając jednocześnie o najnowsze osiągnięcia.

Obowiązująca u nas medycyna w zakresie badań, nauczania i procedur medycznych jest w zasadzie oparta na osiągnięciach ostatnich kilku stuleci a w sferze organizacyjnej czerpie z wzorców ukształtowanych w Stanach Zjednoczonych. Nie ma tu miejsca na dokładne opisywanie historii medycyny USA[1], dość powiedzieć, że od 1910 r. rozwijający się gwałtownie przemysł farmaceutyczny uzyskawszy nieformalny, aczkolwiek bardzo silny wpływ na kierunki badań, nauczanie, programy a także organizacje medyczne (a co za tym idzie nadzorowanie stosowania przez praktykujących lekarzy „jedynie słusznych" procedur) spowodował, iż rozwój medycyny potoczył się w jednie słusznym kierunku. Kierunek ten preferuje stosowanie leków wytworzonych sztucznie, które można opatentować i ze sprzedaży których można ciągnąć zyski. Studia medyczne, odpowiednio ukierunkowane, kształcą lekarzy i naukowców nastawionych również głównie na leczenie farmaceutykami.

Oto co pisze na ten temat G. Edward Griffin w swojej książce:

> *W końcu kadry wykładowców w USA stały się tzw. „elitą". Selekcję i nauczanie przechodzą głównie osoby, które – z powodu zainteresowań czy temperamentu – pociągają badania naukowe, zwłaszcza farmacja. W uczelniach medycznych wykładają wyłącznie ludzie, którzy z racji zainteresowań i wykształcenia są idealnymi zwolennikami leczenia farmaceutykami – dlatego nurt ten dominuje w amerykańskiej medycynie. Najśmieszniejsze jest to, że ani wykładowcy, ani ich studenci nie mają najmniejszego pojęcia, iż są produktem se-*

---

[1] Zainteresowanych odsyłamy do wzmiankowanej tu wcześniej książki „Świat bez raka" autorstwa G. Edwarda Griffina, Oficyna Wydawnicza 3.49 & VitaFree Ltd., rozdz. 19, str. 221

lekcji obmyślonej wyłącznie dla czyjegoś zysku. Są tego na tyle nieświadomi, że jeżeli ktoś powie im tę prawdę w twarz, nie zgodzą się z nią – godziłoby to w ich zawodową dumę. Im głębiej ktoś siedzi w medycynie i im więcej lat spędził stosując się do jej rygorów, tym trudniej jest mu wyrwać się ze schematów myślowych przez nie stworzonych. W praktyce oznacza to, że wasz lekarz będzie ostatnią osobą, która zgodzi się z faktami przedstawionymi w tej książce!

W zasadzie wszystko, co może zagrozić przewidywalnym zyskom przemysłu farmaceutyczno-medycznego, jest przez przedstawicieli medycyny, nauki bądź agend państwowych uznawane za nienaukowe, niesprawdzone, oszukańcze działania znachorów i szarlatanów, i oceniane jako chęć bogacenia się kosztem cierpiących pacjentów.

Podejście takie można by nazwać cynicznym, choćby biorąc pod uwagę fakt, iż w jednym tylko 2001 roku w USA na skutek błędów medycznych zmarło prawie 800 tys. pacjentów, a dane statystyczne dobitnie wykazują, że zawsze w czasie strajków lekarzy znacznie spada śmiertelność – nawet o 50%, jak to było w 1973 r. w Izraelu[2]. Naszym zdaniem przytłaczająca większość lekarzy stara się ze wszystkich sił zmniejszać cierpienia swoich pacjentów, a jedynie z powodu ogromu materiału nie są w stanie śledzić na bieżąco wszystkich doniesień.

Mimo to, dzięki opisanemu wyżej podejściu ze strony oficjalnej medycyny leki naturalne, sposoby leczenia i procedury wzięte ze skarbnicy wiedzy przodków, mimo że są skuteczne i są stosowane przez lekarzy z wiedzą i doświadczeniem, nie są w stanie przebić się do szerokiej rzeszy potencjalnych odbiorców. A stosujący je lekarze są gnębieni i odsądzani od czci i wiary.

O kilku takich sposobach piszemy poniżej, a czynimy to kierując się przekonaniem, iż każdy ma prawo wiedzieć o ich istnieniu oraz winien mieć swobodę wyboru leczenia. **Nie można zapominać, iż zawsze należy się konsultować z lekarzem, który posiada na temat wybranej metody dostateczną wiedzę i potrafi ją stosować w praktyce.**

2.

W kręgach lekarzy, którzy mieli możliwość zapoznania się z medycyną Wschodu, bądź dawnymi i często zaniechanymi sposobami leczenia, otwartych na odkrycia (nie zawsze uznawane bądź też celowo pomijane przez

---

[2] Walter Last, *Are Most Diseases Caused by the Medical System?* Nexus, vol. 15 nr 2; Edycja polska: *Czy większość chorób powoduje system medyczny?* Nexus nr 3 (59), 2008, str 21.

główny nurt medycyny) dominuje przekonanie, iż człowieka należy zawsze traktować jako samoregulującą się całość. Jeżeli pojawi się choroba, to dzieje się tak na skutek szeroko pojętego stresu /napięcia (powodującego zakłócenie tej regulacji) z którym jego organizm nie potrafił sobie poradzić.

Istnieje teoria, że wszystkie fizyczne, emocjonalne i mentalne problemy wiążą się z swoistymi napięciami w ciele. Teoria ta zakłada, że napięcie akumuluje się warstwami, ogniskując się w punktach, co z kolei wywołuje określone objawy. Kiedy następuje odprężenie – czyli likwidacja napięcia, następuje uzdrowienie.[3]

Według tej samej teorii, kiedy ciało poddawane jest „napięciu dynamicznemu" (cyklicznie następującym po sobie stanom naprężenia i relaksu), to w przypadku nawet nadzwyczajnego stresu zaczyna się ono automatycznie leczyć. Tak długo, jak długo jest utrzymywany stan „dynamiczny", uzdrawianie przebiega niezwykle szybko. W takich przypadkach również umysł szybko uwalnia się od stresu, wszelkie napięcia emocjonalne i niepokoje przemijają równie szybko, a ich dokuczliwość jest umiarkowana.

Jeśli natomiast ciało wchodzi w stan napięcia statycznego, co powoduje efekt narastającego oporu – proces uzdrawiania zostaje zahamowany, a to może prowadzić do chorób i zaburzeń w działaniu, stanu zagubienia umysłu, negatywnych myśli lub złości i narastającego lęku. Każda metoda, która pomaga ciału przejść ze stanu napięcia statycznego do dynamicznego, pobudza ciało do naturalnego uzdrawiania.

Powodami zahamowania naturalnego procesu leczenia mogą być stresy psychiczne (np. negatywne emocje – śmierć bliskiej osoby, lub rozpamiętywanie doznanych krzywd), złe odżywianie i toksyny zawarte w żywności, nadmiar leków, brak ruchu, wpływ środowiska (toksyny zawarte w powietrzu i wodzie), nieprawidłowe funkcjonowanie systemu odpornościowego, uszkodzenia genotypu, wrodzone lub nabyte, niektórzy dodają do tej listy wpływ miejsca pobytu / narodzin oraz nieświadomą pamięć przeszłych zdarzeń.

3.

Każdy przejaw życia na naszej planecie, czy będzie to wirus, bakteria, roślina czy zwierzę (człowiek) – są to byty, które w działaniu dążą do zachowania wewnętrznej równowagi, dostosowując się do zmian zewnętrznych oraz we-

---

[3] Serge K. King, *Dynamind Technique*, Aloha International 2003, Princeville HI, USA

wnętrznych. Każde stworzenie dysponuje wręcz nieograniczoną ilością reakcji – procedur, które są uruchamiane w miarę potrzeb. Im bardziej skomplikowany organizm tym bardziej te reakcje są złożone.

Po to by przetrwać na płaszczyźnie fizycznej wszystkie te jestestwa w swoich działaniach nastawione są przede wszystkim na zachowanie własnego, jednostkowego życia oraz przedłużanie trwania gatunku. By osiągnąć cel, muszą pozyskiwać niezbędną energię, a to – przynajmniej w świecie zwierzęcym, do którego i my ludzie, chcąc nie chcąc, należymy – opiera się głównie na oddychaniu i zjadaniu innych bytów, przedstawicieli flory i fauny.

Działanie organizmu ludzkiego to miliardy rekcji chemicznych i przepływów energii. Przyswajanie niezbędnych do życia składników z pożywienia odbywa się w układzie trawiennym. Do tego potrzebna jest współpraca różnych drobnoustrojów, z którymi organizm człowieka się zaprzyjaźnił i wykorzystuje dla realizowania swoich potrzeb.

Są to tzw. endobionty, różne drobnoustroje przyjazne naszemu organizmowi. Dla przykładu *Staphylococcus epidermidis*, bytując na powierzchni naszej skóry wespół z takimi bakteriami jak maczugowce (*Corynebacterium sp.*) dba o utrzymanie właściwego pH skóry. Pałeczką okrężnicy (*Escherichia coli*) „zakażamy się" w pierwszych godzinach życia, gdy przechodzimy przez kanał rodny matki. Bakteria ta, zadomowiona w naszym układzie pokarmowym, odpowiada za 60-70 proc. produkcji witamin z grupy B. Grzyb *Niger Asprgillus* ma wpływ na regulację metabolizmu wapnia i cyklu kwasku cytrynowego. Pierwotne i całkowicie niechorobotwórcze formy grzyba Fresen (*Racemosus mucor*), żyją jako endobionty w plazmie krwi, w krwinkach czerwonych, leukocytach i we wszystkich innych płynach ciała i tkankach. Regulują one nieaktywne jeszcze infekcje w organizmie, mają wpływ na lepkość i proces krzepnięcia krwi.

W jelitach przebywa około czterystu różnych bakterii, których ilość idzie w miliardy. Większość ludzi dowiadując się, że nosi w sobie ponad dwa kilogramy niezbędnych do życia bakterii, jest zszokowana.

Tak o tym mówi prof. Piotr Heczko[4]:

Mikroflora jelita ludzkiego (tzw. stała lub fizjologiczna flora jelita) to niezwykle skomplikowany zespół drobnoustrojów, stale obecnych w jelicie. Mikroflora jelit posiada niezwykłą zdolność do utrzymywania swojej homeostazy, pomimo cią-

---

[4] Prof. dr n. med. Piotr Heczko jest kierownikiem Instytutu Mikrobiologii Collegium Medicum UJ, prezesem Polskiego Towarzystwa Zakażeń Szpitalnych (PTZS) w Krakowie oraz członkiem Komitetu Immunologii i Etiologii Zakażeń Człowieka PAN.

głego oddziaływania na nią wielu czynników zewnętrznych. Jej stabilność ma olbrzymie znaczenie w utrzymaniu przewodu pokarmowego, a także całego organizmu, w stanie zdrowia. Obecność przyjaznych drobnoustrojów przywartych do nabłonka jelita (w tym *Acidophilus*) powoduje, że inne, przede wszystkim patogenne (chorobotwórcze) drobnoustroje, nie mogą łatwo przytwierdzić się do nabłonka, namnażać i penetrować w głąb jelita i powodować zakażenie. Ponadto, składniki mikroflory działają stale pobudzająco na układ odpornościowy, utrzymując go w stanie gotowości....

Zdrowy organizm posiada właściwy bilans kwasowo-zasadowy tzw. homeostazę. W niekorzystnym środowisku endogenne mikroorganizmy tzw. endobionty opisywane jako symbiotyczne, przekształcają się w wyższe formy rozwojowe pasożytnicze – patologiczne.

Wiele wskazuje na to, iż to właśnie takie formy grzybów, zatruwając organizm nosiciela, stoją za przyczynami wielu dolegliwości w tym i raka.

4.

⁎ W drugiej połowie ubiegłego wieku dr Anatol Rybczyński, chirurg onkolog z Poznania doszedł wniosku do wniosku, że komórka nowotworowa nie jest patologicznie zmienioną komórką ludzką, a pasożytniczą, grzybiczą. Na podstawie obserwacji surowicy krwi i płynów wydobytych z jam surowiczych chorych na nowotwory złośliwe oraz posiewów na pożywki płynne i stałe pleśni *Penicillium* zdołał ustalić, że wzrost tego grzybka odbywa się znacznie wolniej niż innych drobnoustrojów. Pleśń ta w trakcie swego rozwoju przekształca się z jednej postaci w drugą i im hodowle są starsze, tym te postacie są doskonalsze. Zdołał on ustalić, że na początku rozwoju wyglądem swoim przypomina ona wirusy, potem drobnoustroje nieswoiste, takie jak ziarenkowce, gronkowce, paciorkowce, pałeczkowce, następnie drożdżowce, a jej postacie końcowe stają się podobne do komórek ludzkich. Znamienny jest fakt, że istnieje podobieństwo między nowotworem a dojrzałymi postaciami pleśni nie tylko w budowie komórek, ale też w ich ułożeniu i w identycznym, nieprawidłowym podziale komórkowym. Preparaty histologiczne wykonane z dojrzałej komórkowej postaci grzybka *Penicillium* niczym nie różnią się od preparatów histologicznych wykonanych z tkanek nowotworów ludzkich i przez patomorfologów były rozpoznawane jako nowotwory.

Dalsze badania doświadczalne na zwierzętach wykazały, że czysty krzem, który otrzymano po wyżarzeniu pleśni *Penicillium* w łuku elektrycznym, ma własności lecznicze i poprawia ciężkie stany chorobowe zwierząt zakażonych tym grzybkiem. Po uzyskaniu zadowalających wyników leczniczych u zwierząt, autor skutecznie leczył krzemem beznadziejnie chorych na nowotwory złośliwe ludzi.

W leczeniu swoich pacjentów stosował opracowany przez siebie krzemowy preparat homeopatyczny, nazwany od jego imienia i nazwiska ANRY[5].

* Onkolog dr Tullio Simoncini doszedł do podobnych wniosków. Opierając się na swych wieloletnich badaniach naukowych i klinicznych twierdzi, że jedną z przyczyn raka jest infekcja pospolitym grzybem, którą można skutecznie leczyć bardzo silnym środkiem przeciwgrzybiczym – wodorowęglanem sodu ($NaHCO_3$). Ponieważ środka tego nie można opatentować, jego badania i osiągnięcia, tak samo jak w przypadku witaminy B17, nie spotkały się z szerszym odzewem nauk medycznych. Dzrożdżak *Candida Albicans* jest dość trudny do wykrycia w organizmie w pierwszej fazie choroby z uwagi na fakt, iż jest jednym z drobnoustrojów, które w formie endobiontów bytują z w naszym organizmie – można go wykryć prawie u każdego człowieka. Nawet te w pełni przyjazne gatunki drożdży mogą się rozmnożyć organizmie przy czym sprzyja temu wpływ niewłaściwej diety – np. spożywania cukru, chleba z białej mąki i innych potraw zawierających skrobię i nadmiar gnilnych białek zwierzęcych, w tym pasteryzowanego mleka[6].

* Dr Orian Truss (Alabama, USA) podejrzewając niszczący wpływ antybiotyków na pacjenta, którego stan pogorszył się po ich podaniu, zaordynował mu cztery razy dziennie przez trzy tygodnie od sześciu do ośmiu kropli płynu Lugola. Wiedział bowiem, że *candida* (drożdżaki) rozwijając się gwałtownie w osłabionych organizmach wywołuje stan osłabienia, a infekcji krwi *candidą* można pozbyć się za pomocą roztworu jodku potasu. Nie trzeba chyba dodawać, że pacjent wrócił do zdrowia[7].

---

[5] zob. www.drnatura.pl

[6] zob. www.cancerfungus.com

[7] Walter Last, *op. cit*

6.

Wydaje się, że głównym czynnikiem rozwoju raka jest ogólne osłabienie układu immunologicznego, spowodowane jelitową dysbiozą[8], ogólnoustrojową kandydozą, toksycznymi chemikaliami i leczeniem kanałowym zębów. Przyczyniają się do tego wszechobecne antybiotyki – bo nie tylko te stosowane przez medycynę, ale również znajdujące się w zjadanym przez nas mięsie (antybiotyki są stosowane powszechnie jako dodatek do karmy w fermach nastawionych na intensywną hodowlę), a prócz tego leki stosowane w chemioterapii, przeciwzapalne leki steroidowe oraz długoterminowe terapie lekami. Większość pacjentów przebywających w szpitalach jest leczona właśnie takimi lekami i musi się liczyć z tym, że może w rezultacie nastąpić u nich ogólnoustrojowy przerost *candidy*.

7.

Na koniec, jako konkluzję, pragniemy przekazać kilka uwag. Naszym zdaniem, prócz terapii metabolicznej, o której pisaliśmy poprzednio, każdy dbający o siebie powinien:

Po pierwsze:

zadbać o właściwą florę bakteryjną w jelitach. Dietetycy polecają picie właściwie przygotowanego kwaśnego mleka, spożywanie kwaszonych ogórków, kapusty itp.

Po drugie:

profilaktycznie przeprowadzić kurację odgrzybiającą, ze szczególnym naciskiem na drożdżaka *Candida albicans*.

Po trzecie:

spróbować metod diagnostycznych opartych na badaniu spektrum drgań elektromagnetycznych. Tu możemy polecić diagnozę i terapię MORA[9].

---

[8] Dysbioza, in. dysbakterioza – jest to proces, w którym miejsce naturalnych bakterii jelitowych zajmują drożdżaki, pasożyty i szkodliwe bakterie.

[9] Terapia MORA jest całościową koncepcją diagnozy i leczenia przy pomocy właściwych dla pacjenta drgań. Metoda tej terapii rozwinięta w 1977 r. wspólnie przez niemieckiego lekarza

Po czwarte:

> pamiętać o słowach pielęgniarki dyplomowanej z San Diego w Kalifornii, p. R.E. Bruce, które wypowiedziała po przeczytaniu książki pod tytułem „Świat bez Raka", napisanej przez G. Edwarda Griffina:

> *Pielęgniarką zostałam 23 lata temu, ale dopiero teraz mogę powiedzieć, że nie boję się raka.*

(cd. ze strony poprzedniej) Dr Franciszka Morella i inż. Ericha Rasche stąd nazwa MORA. W międzyczasie w ciągu 19 letniej pracy badawczej stwierdzono i potwierdzono, że każdy człowiek posiada własne spektrum drgań, które można wykorzystać terapeutycznie. Obecnie wiadomo również, że przebieg reakcji chemicznych w ciele człowieka i zwierzęcia sterowany jest przez elektromagnetyczne drgania. Części ciała, chore lub zdrowe mają całkowicie indywidualne spektrum drgań i tym samym również określony potencjał energetyczny. Uszkodzenia organizmu mogą na wiele sposobów zmienić środowisko ciała, tak że zostają zakłócone przebiegi procesów biochemicznych. Szkodliwe substancje, dostarczone do organizmu wraz z żywnością, obciążenia metalami ciężkimi w wodzie pitnej, różne trucizny środowiska – wyprowadzają system regulacyjny ciała z równowagi. Jeżeli teraz na te wszystkie delikatne procesy sterujące w ludzkim organizmie zbytnio wpływają szkodliwe drgania zakłócające, mogą wystąpić błędy w ich funkcjonowaniu, co jako skutek wywołuje choroby. Dr Morell miał genialną ideę, by te szkodliwe drgania wygasić przez ich własne lustrzane odbicie, by chory organizm odciążyć i tym sposobem ułatwić samoistne wyleczenie.

DODATEK 1

Jeszcze o tym co jemy, kwasie elagowym, genie P53 i kwasach tłuszczowych

1.

Wspominaliśmy już o diecie na str. 55–57. Po rozmowach z wieloma osobami, zarówno chorymi na raka jak i lekarzami, uważamy za konieczne dodanie jeszcze paru słów o tym co jemy oraz co z tego wynika.

Jak wynika z badań statystycznych przeprowadzonych w Stanach Zjednoczonych pod koniec XIX w. (1880 r.) szanse na zachorowanie na raka miała jedna na trzydzieści (1 / 35) osób – teraz zaś jedna na dwie, inaczej mówiąc od mniej niż 3% wzrosła do 50%.

Kontynuując ten statystyczny wątek w przypadku innej choroby metabolicznej, jaką jest cukrzyca typu II – otóż w drugiej połowie XIX w. lekarze „pierwszego kontaktu" nie mieli zielonego pojęcia o objawach tej choroby, bo po pierwsze występowała bardzo rzadko (średnio jeden przypadek na 1000 osób), a po drugie nie znano jeszcze wtedy różnicy między cukrzycą typu I (spowodowaną niesprawnością trzustki) a typu II. O niej opowiemy za chwilę. Teraz szanse na zachorowanie na cukrzycę typu drugiego ma co trzeci mieszkaniec krajów „rozwiniętych".

Ciśnie się na usta pytanie: co się takiego stało, że w przeciągu zaledwie 150 lat tak bardzo zwiększyła się zachorowalność na powyższe choroby?

Ogólnie można powiedzieć, że winien temu jest postęp powiązany z rozwojem nauki, której osiągnięcia często nie zawsze w przemyślany sposób zostawały wprowadzane w życie. No bo popatrzmy, choćby postęp w medycynie: wszyscy szczycimy się zmniejszeniem śmiertelności nowo narodzonych – potrafimy uratować od śmierci dzieci, które w społecznościach bliżej związanych z naturą nie miałyby szans na przetrwanie. [Do takich dzieci zalicza się między innymi piszący te słowa.] To, z osobistego punktu widzenia zarówno dziecka jak i jego rodziców, jest wspaniałe. Z uwagi zaś na jakość całego gatunku – jest postępowaniem niewłaściwym, bowiem natura nie ma szans na wyeliminowanie osobników z wadliwym genomem. Skutek jest zaś taki, że mamy choroby, o których dwieście lat temu nikt nie słyszał.

Drugi przejaw postępu, który niewątpliwie przyczynił się do gwałtownego wzrostu chorób metabolicznych, to wprowadzenie „przemysłowych" metod hodowli i upraw roślin. Te pierwsze powodują, iż mięso zwierząt hodowanych w fermach przemysłowych jest przesycone hormonami wzrostu (bo liczy się zysk, a im szybciej zwierzę będzie nadawało się do uboju, tym zysk większy), oraz antybiotykami (bo zwierzęta stłoczone na małej przestrzeni i odżywiane w sposób daleki od naturalnego często chorują, a jak chorują, to nie ma zysku). O tym już pisaliśmy na stronie str. 71 w p. 6.

Jeśli zaś chodzi efekty upraw przemysłowych, to proszę zerknąć na tabelkę poniżej. Dane w niej zawarte prezentowane były na konferencji poświęconej medycynie naturalnej[1] w IOR, w Poznaniu w 8-go października 2008 r.

Zubożenie pożywienia w mikroelementy od 1984 r.

RODZAJ	MIKROELEMENT	1984	2008	UBYTEK
ZIEMNIAKI	wapń	14	4	-71%
	magnez	27	18	-33%
BANANY	kwas foliowy	23	3	-87%
	wit. B6	330	22	-93%
TRUSKAWKI	wapń	21	18	-14%
	wit. C	60	13	-78%

Jak widać tylko na tych trzech przykładach (bo domniemywać należy, że jest to sprawa powszechna), w ciągu zaledwie dwudziestu paru lat na skutek „nowoczesnych metod" upraw i transportu, nastąpiło ogromne zubożenie tego co spożywamy w niezbędny do życia budulec. Czasami dziw człowieka bierze, że jeszcze żyjemy. Krajem, w którym króluje „uprzemysłowiona" żywność są Stany Zjednoczone. Nie należy się zatem dziwić, że już prawie

---

[1] Wykłady: prof. dr hab. inż. Janina Zbierska Uniwersytet Przyrodniczy w Poznaniu, Katedra Ekologii i Ochrony Środowiska, Centrum Edukacji dla Zrównoważonego Rozwoju: *Zanieczyszczenie środowiska a zdrowie*; dr Aleksandra Niedzwiecki, Badawczy Instytut Medycyny Komórkowej Dr Ratha w Kalifornii, *Medycyna Komórkowa – szansą naturalnej kontroli epidemii chorób*; dr Elżbieta Dąbrowska, pediatra, ISPL – Magnetostymulacja w Poznaniu, *Nowe skuteczne formy terapii – medycyna fizykalna*; mgr inż. Edward Warych, administrator Rolniczego Gospodarstwa Doświadczalnego – Brody, *Żywność – żywienie – zdrowie. Doświadczenia producenta i konsumenta*.

80% populacji tego ogromnego kraju ma nadwagę. Prócz typowego „śmieciowego żarcia" (junk food) pełnego pustych kalorii, muszą dostarczyć organizmowi odpowiednią ilość mikroelementów i witamin – wobec tego jedzą ponad miarę. W zasadzie należy im współczuć, są bowiem ofiarami pazerności swoich koncernów spożywczych.

Płynie z powyższego prosty wniosek: należy z dużą nieufnością przyglądać się żywności oferowanej nam przez sprzedawców. A zwłaszcza czytać wszystko, co małymi literkami napisane jest na opakowaniach.[2]

2.

Skoro mówiliśmy o gwałtownej epidemii cukrzycy typu II, to istnieje dobrze udokumentowana teoria, iż jednym z głównych jej powodów jest zamiana naturalnych rodzajów spożywanych tłuszczów i zastępowanie ich tłuszczami przetworzonymi przemysłowo. Najogólniej mówiąc cukrzyca typu II polega na braku reakcji komórek na pompowaną do krwiobiegu insulinę, której zadaniem jest spowodowanie przejmowania cukru (glukozy) z krwiobiegu przez komórki. Są to symptomy ogólnoustrojowej zapaści właściwego metabolizmu glukozy. Powstaje w organizmie śmieszna sytuacja, gdy w krwiobiegu jest pełno cukru, brakuje go za to w komórkach.

Glukoza przedostaje się przez błonę komórkową dzięki serii biochemicznych reakcji, w których aktywnym aktorem jest membrana komórki i gdy jest ona zdrowa, to zawiera dopełnienia typu cis $\omega=3$ nienasyconych kwasów tłuszczowych.[3] Kiedy w wyniku diety następuje chroniczny niedostatek powyższych kwasów, zostają one zastąpione przez kwasy typu trans, krótko- oraz średnio-łańcuchowe nasycone kwasy tłuszczowe. Powoduje to wyhamowanie procesu transportu glukozy do komórki. Wygląda na to, że proces ten jest odwracalny i przy odpowiedniej diecie, w której będziemy korzystali z tłuszczy cis $\omega=3$, jak np. w oleju lnianym lub z konopi, można będzie wyleczyć się z cukrzycy typu II. Nasze wydawnictwo przygotowuje książkę-raport, w której została opisana skuteczna metoda leczenia cukrzycy typu II. Jej autor, uznawszy, że konwencjonalna medycyna nie daje mu nadziei na wyleczenie, poświęcił kilka miesięcy na przeszukiwaniu danych badań naukowych, a następnie opracował metodę, dzięki której w ciągu trzech i pół miesiąca całkowicie wyleczył się z choroby. Wrócimy do tego za chwilę.

---

[2] Polecamy książkę autorstwa Pat Thomas, *Świadome zakupy, czyli co naprawdę kupujemy*, Wyd. Purana, Wrocław 2007.

[3] Dr William F. Ganong, *Review of Medical Physiology*, wyd. XIX, 1999 r. str. 9, 23-36.

3.

Chcemy tu jeszcze wspomnieć o **genie p53** oraz **kwasie elagowym**.

Znajdujący się w 17. chromosomie **gen p53**, został odkryty w 1979 r. przez naukowców Arnolda Levine'a, Davida Lane'a and Williama Olda. Początkowo sądzono, że przyczynia się do rozwoju raka, ale w dziesięć lat później dzięki badaniom Berta Vogelsteina i Raya White'a w trakcie badań nad rakiem jelita grubego, okazało się że jest wręcz przeciwnie – przyczynia się do niszczenia komórek raka.

Gen ten nadzoruje podziały komórki i nie dopuszcza do nich, jeśli DNA jest uszkodzone lub sama komórka została uszkodzona w inny sposób. O ile takie uszkodzenie jest stosunkowo nieznaczne, to gen wstrzymuje podział komórki do czasu, gdy nie zostanie ono naprawione. Jeśli zaś uszkodzenie jest poważne i nie może być naprawione, doprowadza do apoptozy – czyli samobójczej śmierci komórki. Kiedy ten gen jest aktywny, niezmutowany, to wtedy nieprawidłowe komórki w naszym organizmie się nie dzielą.

Ponad połowa rodzajów raka jest związana z mutacją tego genu. Rak ma zdolność hamowania jego działania oraz modyfikacji. Gdy gen nie działa, wtedy komórka może powielać się bez końca, co prowadzi do rozwoju guza.

Okazuje się jednak, że **kwas elagowy**, związek zawarty w roślinach, zapobiega niszczeniu genu p53 przez komórki raka, inaczej mówiąc – chroni go przed mutacją.

Kwas elagowy jest związkiem z grupy polifenoli. Wspiera układ odpornościowy organizmu, jest antyoksydantem, chroni przed nowotworami, unieczynnia związki rakotwórcze. „W roślinach występuje w stanie wolnym lub związanym estrowo z glukozą, tworząc garbniki hydrolizujące (tzw. elagotaniny). Bogatym źródłem kwasu elagowego są owoce jagodowe, głównie truskawki, maliny, jeżyny, żurawiny czy winogrona, a także orzechy włoskie. Kwas elagowy posiada silne własności antyoksydacyjne, przeciwnowotworowe, a także i antymutagenne in vitro, oraz wykazuje znaczną aktywność przeciwzapalną."[4]

Centrum Raka im. Hollingsa przy Medycznym Uniwersytecie Karoliny Płd (MUSC) prowadziło podwójne ślepe badanie na dużej grupie 500 chorych na raka krtani.

---

[4] w: Zbigniew Janeczko, Agnieszka Galanty, *Nowe preparaty roślinne o działaniu krążeniowym i chemoprewencyjnym*, opr. Kat. Farmakognozji CM UJ

Dziewięć lat badań pokazało, że kwas elagowy hamuje i zatrzymuje podział komórek rakowych w ciągu 48 godzin i powoduje zgon komórki nowotworowej w ciągu 72 godzin (przy raku piersi, trzustki, gardła, skóry, okrężnicy i prostaty). Dodatkowo badania wykazały, że zwalnia on wzrost nienormalnych komórek okrężnicy, zapobiega ewolucji komórek zakażonych ludzkim wirusem brodawczaka (HPV) powoduje śmierć naturalną komórek raka prostaty, raka piersi, płuc, przełyku i skóry (czerniaka).

Zaś medyczne odkrycia poczynione w Europie wskazują, że kwas elagowy zmniejsza częstotliwość wad u noworodków, przyspiesza gojenie ran, zmniejsza i odwraca chemicznie wywołane zwłóknienie wątroby oraz jest pomocny w walce z chorobami serca.

Poniżej zawartość kwasu elagowego w niektórych owocach:

Źródło k.e.	mg / g suchej masy
Maliny	1500
Truskawki	630
Orzechy włoskie	590
Orzechy laskowe	330
Żurawiny	120

A teraz najbardziej fascynująca wiadomość: **zamrażanie nie niszczy kwasu elagowego!**

Wróćmy do oleju lnianego – na koniec mały przepis na danie poranne, czyli dwa w jednym (niech rak i cukrzyca typu II mają się na baczności) :

Składniki:

    małe opakowanie białego twarogu, 2 łyżki stołowe oleju lnianego, 1/2 opakowania malin (np. mrożonych), 1-2 łyżeczki miodu

Przygotowanie:

    twaróg (ilość można dobrać indywidualnie do upodobań) polać równomiernie olejem lnianym i wymieszać, dodać miód, wymieszać, dodać maliny.

Smacznego i na zdrowie !